하루 한 장 60일 집중 완성

교과도형

초5

E 3

직육면체

에듀히어로
Edu HERO

"진짜 히어로는 우리 아이들입니다!"

에듀히어로는
우리 아이들이 밝고 건강한 내일을 꿈꿀 수 있도록
긍정적이고 효과적인 교육 서비스를 제공하는 것을
최우선 목표로 하고 있습니다.

그 존재만으로도 든든한 히어로처럼 아이들의 곁에서 힘이 되어주고,
나아가 아이들 각자가 스스로의 인생 속 히어로가 될 수 있도록

우리는 진심과 열정을 다해 아이들과 함께 할 것을 약속 드립니다.

네이버 카페
교재 상세 소개와 진단 테스트
및 유용하게 풀 수 있는
학습 자료를 다운로드 해 보세요.

인스타그램
에듀히어로 인스타그램을
팔로우하시면 다양한 이벤트와
신간 소식을 빠르게 만나보실
수 있습니다.

카카오톡 채널
자녀 수학 공부 상담 및
자유로운 질문을 남겨 주세요.
함께 고민하고
답변해 드리겠습니다.

히어로컨텐츠 HEROCONTENS

발행일: 2023년 1월   **발행인:** 이예찬

기획개발: 두줄수학연구소

디자인: 4BD STUDIO   **삽화:** 1000DAY

발행처: 히어로컨텐츠

주소: 서울특별시 금천구 서부샛길 632, 7층(대륭테크노타운5차)

전화: 02-862-2220   **팩스:** 02-862-2227

지원카페: cafe.naver.com/eduherocafe   **인스타그램:** @edu__hero

하루 한 장 60일 집중 완성 교과도형은 ···

달라진 교과서와 학교 수업 진도에 맞추어 학습자가 체계적으로 도형을 학습할 수 있도록 안내합니다.

이전의 도형 학습이 도형의 정의와 성질을 외우고, 도형의 측정결과를 계산하는 '결과' 중심의 학습이었다면 지금의 도형 학습은 공간에 대한 이해와 해석(공간감각)을 바탕으로 모양을 인식하고 변화를 유추하고 다양한 방법으로 도형을 측정하고 그 결과를 표현하는 '과정' 중심의 학습입니다.

교과도형은 수학교육의 변화와 핵심을 이해하고 올바른 방향을 제시해 주는 든든한 길잡이가 될 것입니다.

하루 한 장 60일 집중 완성 교과도형은 ···

① 공간감각 ② 도형표현 ③ 도형측정을 중심으로 교과서에서 다루는 모든 도형을 체계적으로 학습합니다.

공간감각

도형을 효과적으로 학습하기 위해서는 공간을 이해하고 해석하는 능력, 즉 '공간감각'이 필요합니다.

공간감각은 경험과 상상력을 바탕으로 머릿속에서 도형을 조작하고 결과를 유추하는 능력입니다. 공간감각은 단시간에 길러지지 않으므로 어릴 때부터 꾸준하게 학습하고 구체적인 경험을 쌓는 것이 중요합니다.

'교과도형'의 각 권 마지막에 있는 '도형플러스'는 각 권의 학습목표와 연계하여 공간감각을 한 단계 더 높여줄 수 있는 내용으로 구성하였습니다.

도형표현

공간에 존재하는 도형은 표현되었을 때 더 큰 의미를 가집니다.

• 삼각형을 찾는 것에서 그치지 않고 다양한 삼각형을 직접 그려 보고 왜 삼각형인지 설명하는 것
• 쌓기나무로 만든 모양을 위치와 방향을 이용하여 설명하는 것
• 도형을 여러 가지 기준과 특징에 따라 분류하고 왜 그렇게 분류했는지 설명하는 것
• 도형을 위·앞·옆에서 바라보고 그 모습을 그림으로 표현하는 것 등이 모두 '도형표현'입니다.

'교과도형'은 도형과 관련한 작은 그림에서부터 서술형 문장제까지 도형을 표현하는 다양한 방법을 효과적으로 학습합니다.

도형측정

측정은 도형과 아주 밀접한 관계가 있으므로 도형을 학습하면서 반드시 함께 다루어야 하는 영역입니다.

길이, 각도, 둘레, 넓이, 부피 등 흔히 '도형' 영역이라 생각하는 것이 사실 초등 교육과정에서는 '측정' 영역에 해당합니다. 사각형을 학습하는 것은 도형이지만 사각형의 둘레와 넓이를 구하는 것은 측정입니다. 각의 종류를 학습하는 것은 도형이지만 각도를 재는 것은 측정입니다. 이처럼 길이, 각도, 둘레, 넓이, 부피 등은 결국 도형을 측정하는 것입니다.

'교과도형'은 교과서의 모든 '도형' 영역을 다루었습니다. 여기에 도형과 반드시 연계하여 학습해야 하는 '측정' 영역을 추가로 다루어 더욱 완성된 도형 학습을 할 수 있도록 도와줍니다.

하루 한 장 60일 집중 완성 교과도형은

7세부터 6학년까지 총 7단계 21권(단계별 3권)으로 구성되어 있으며 각 권은 매일 한 장씩 4주간 체계적으로 학습할 수 있습니다.

1권, 20일   2권, 20일   3권, 20일

대 상	단 계	구 성
7세 ~ 1학년	P	P1, P2, P3
1학년	A	A1, A2, A3
2학년	B	B1, B2, B3
3학년	C	C1, C2, C3
4학년	D	D1, D2, D3
5학년	E	E1, E2, E3
6학년	F	F1, F2, F3

교과도형의 각 단계는 1, 2, 3권을 차례대로 학습합니다.

교과도형, 한 권이면 충분합니다

교과도형은 공간감각, 도형표현, 도형측정을 중심으로 교과서에서 다루는 모든 도형을 학습하고,
공간감각 향상을 위한 '도형플러스'와 학습 결과를 확인하는 '형성평가'를 제공합니다.

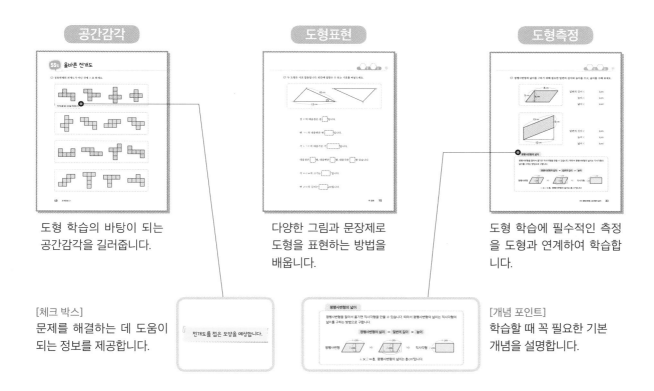

공간감각

도형 학습의 바탕이 되는
공간감각을 길러줍니다.

[체크 박스]
문제를 해결하는 데 도움이
되는 정보를 제공합니다.

도형표현

다양한 그림과 문장제로
도형을 표현하는 방법을
배웁니다.

도형측정

도형 학습에 필수적인 측정
을 도형과 연계하여 학습합
니다.

[개념 포인트]
학습할 때 꼭 필요한 기본
개념을 설명합니다.

2 도형플러스

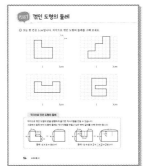

각 권의 학습 주제와
연계하여 공간감각을
더욱 향상시킵니다.

3 형성평가

학습한 내용을 다시 한 번
복습하고 정리합니다.

이 책의 차례

1주차
41~45일

직육면체 알기

직육면체

⓫ 직육면체를 찾아 모두 ◯표 하세요.

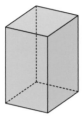

(   )

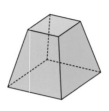

(   )

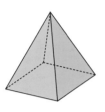

(   )

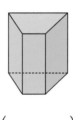

(   )

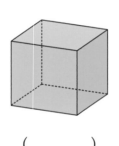

(   )

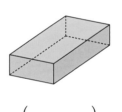

(   )

직육면체

직사각형 6개로 둘러싸인 도형을 직육면체라고 합니다.

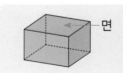

선분으로 둘러싸인 부분을 면이라고 합니다.

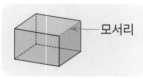

면과 면이 만나는 선분을 모서리라고 합니다.

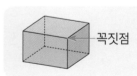

모서리와 모서리가 만나는 점을 꼭짓점이라고 합니다.

면의 모양	면의 수(개)	모서리의 수(개)	꼭짓점의 수(개)
직사각형	6	12	8

11 직육면체가 아닌 것에 ✕표 하세요.

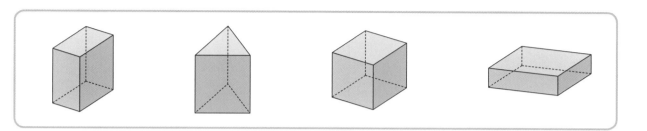

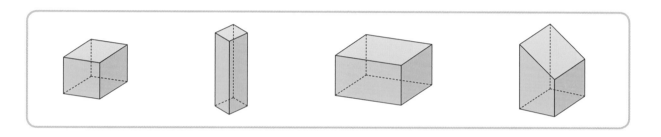

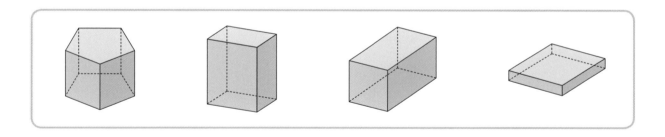

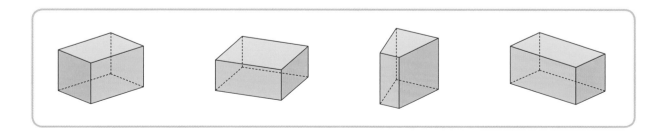

🔟 정육면체를 찾아 모두 ◯표 하세요.

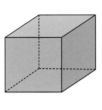

(   )

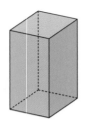

(   )

(   )

(   )

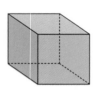

(   )

(   )

정육면체

정사각형 6개로 둘러싸인 도형을 정육면체라고 합니다.

정육면체는 정사각형으로만 둘러싸여 있으므로 면의 모양이 모두 같고, 모서리의 길이도 모두 같습니다.
정육면체는 직육면체라고도 할 수 있습니다.

면의 모양	면의 수(개)	모서리의 수(개)	꼭짓점의 수(개)
정사각형	6	12	8

⑪ 도형을 보고 물음에 답하세요.

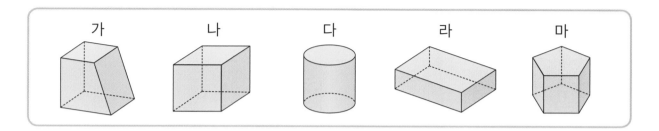

가　　나　　다　　라　　마

직육면체를 모두 찾아 기호를 써 보세요.　　　　（　　　　　　　　）

정육면체를 찾아 기호를 써 보세요.　　　　　　（　　　　　　　　）

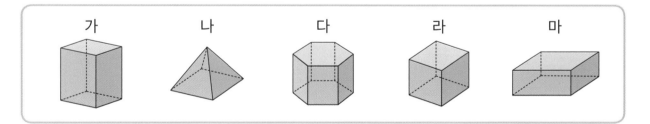

가　　나　　다　　라　　마

직육면체를 모두 찾아 기호를 써 보세요.　　　　（　　　　　　　　）

정육면체를 찾아 기호를 써 보세요.　　　　　　（　　　　　　　　）

❶ 직육면체의 겨냥도를 바르게 그린 것을 찾아 모두 ◯표 하세요.

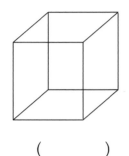

(   )

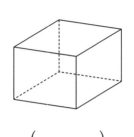

(   )

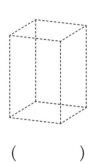

(   )

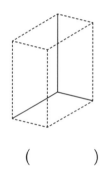

(   )

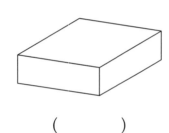

(   )

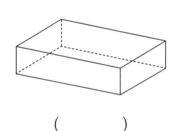

(   )

겨냥도

직육면체의 모양을 잘 알 수 있도록 나타낸 그림을 직육면체의 겨냥도라고 합니다.

겨냥도에서 **보이는 모서리**는 실선으로, **보이지 않는 모서리**는 점선으로 그립니다.

💬 보이지 않는 모서리를 그려 넣어 겨냥도를 완성해 보세요.

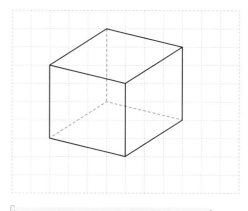

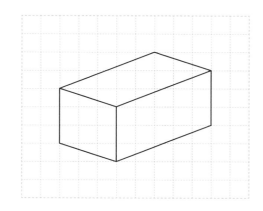

보이지 않는 모서리는 점선으로 그립니다.

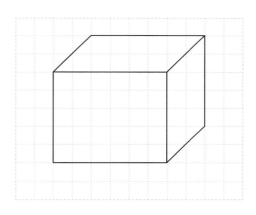

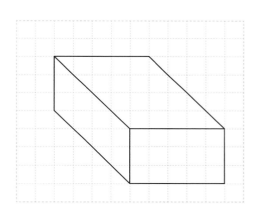

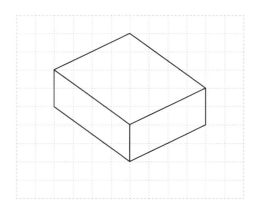

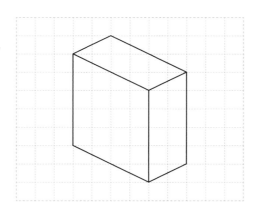

겨냥도 그리기

그림에서 빠진 부분을 그려 넣어 직육면체의 겨냥도를 완성해 보세요.

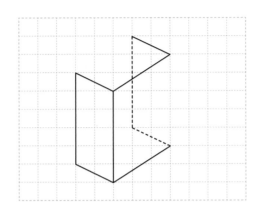

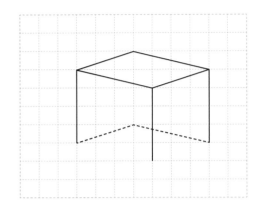

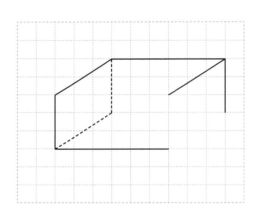

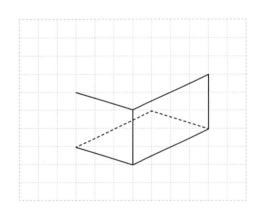

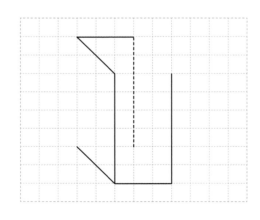

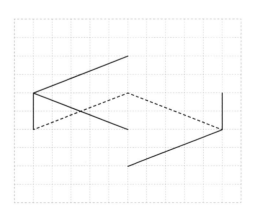

🔟 왼쪽 직육면체와 똑같은 모양의 겨냥도를 그려 보세요.

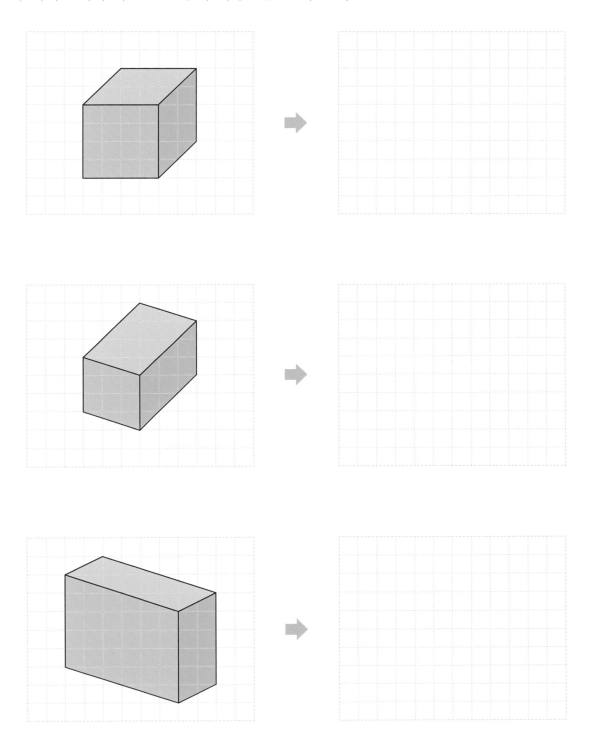

🎵 주어진 직육면체를 보고 빈칸에 알맞은 수를 써넣으세요.

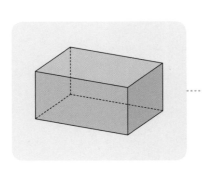

직육면체의 면은 모두 ☐ 개입니다.

직육면체의 모서리는 모두 ☐ 개입니다.

직육면체의 꼭짓점은 모두 ☐ 개입니다.

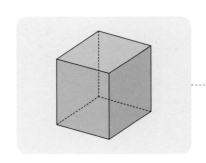

보이는 면은 ☐ 개입니다.

보이는 모서리는 ☐ 개입니다.

보이는 꼭짓점은 ☐ 개입니다.

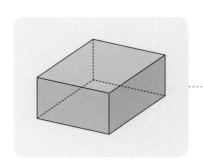

보이지 않는 면은 ☐ 개입니다.

보이지 않는 모서리는 ☐ 개입니다.

보이지 않는 꼭짓점은 ☐ 개입니다.

💬 바르게 설명한 것에 ◯표, 잘못 설명한 것에 ✕표 하세요.

직사각형 **6**개로 둘러싸인 도형을 직육면체라고 합니다. ⋯⋯⋯⋯⋯ (   )

직육면체와 정육면체의 모서리의 수는 같습니다. ⋯⋯⋯⋯⋯⋯⋯ (   )

정육면체의 모서리의 길이는 서로 다릅니다. ⋯⋯⋯⋯⋯⋯⋯⋯ (   )

정육면체의 면의 크기는 모두 같습니다. ⋯⋯⋯⋯⋯⋯⋯⋯⋯ (   )

직육면체의 면은 모두 합동입니다. ⋯⋯⋯⋯⋯⋯⋯⋯⋯⋯⋯ (   )

직육면체는 정육면체라고 할 수 있습니다. ⋯⋯⋯⋯⋯⋯⋯⋯ (   )

정육면체는 직육면체라고 할 수 있습니다. ⋯⋯⋯⋯⋯⋯⋯⋯ (   )

다음 도형이 직육면체 또는 정육면체가 아닌 이유를 써 보세요.

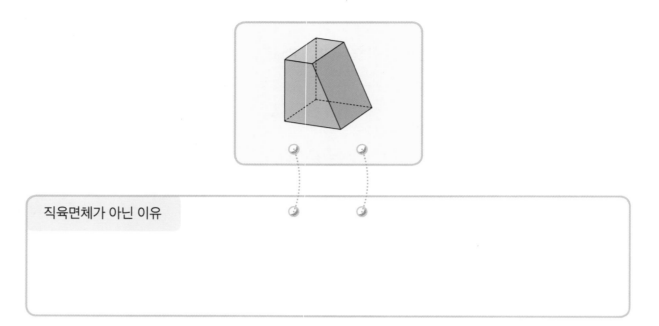

직육면체가 아닌 이유

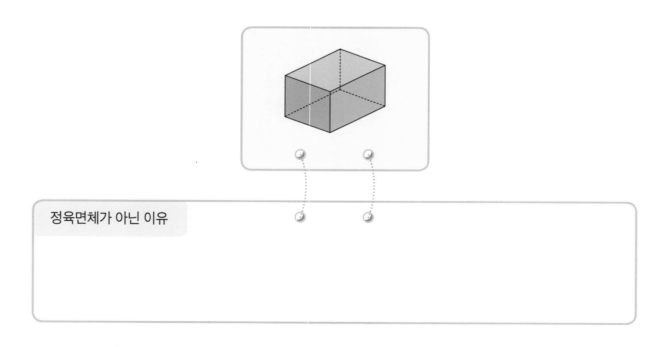

정육면체가 아닌 이유

2주차
46~50일

직육면체의 성질

평행한 면

직육면체에서 색칠한 면과 평행한 면을 찾아 색칠해 보세요.

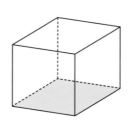
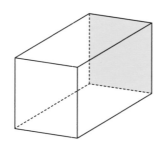
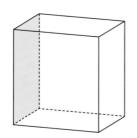

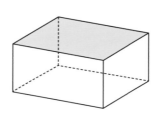
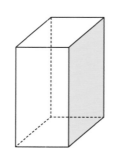
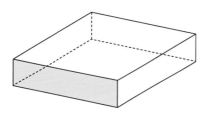

직육면체의 밑면

직육면체에서 마주 보는 두 면과 같이 계속 늘여도 만나지 않는 두 면을 서로 평행하다고 하고,
이 두 면을 직육면체의 밑면이라고 합니다.

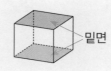 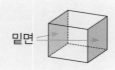 

직육면체에서 평행한 면은 **3쌍** 있고, 이 평행한 면은 각각 **밑면**이 될 수 있습니다.

직육면체에서 평행한 면끼리 이어 보세요.

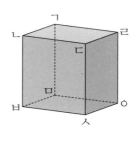

면 ㄱㄴㄷㄹ •

면 ㄴㅂㅅㄷ •

면 ㄷㅅㅇㄹ •

• 면 ㄴㅂㅁㄱ

• 면 ㄱㅁㅇㄹ

• 면 ㅁㅂㅅㅇ

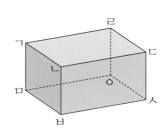

면 ㄴㅂㅅㄷ •

면 ㄱㅁㅂㄴ •

면 ㄱㄴㄷㄹ •

• 면 ㅁㅂㅅㅇ

• 면 ㄱㅁㅇㄹ

• 면 ㄹㅇㅅㄷ

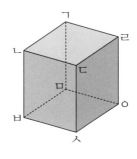

면 ㄴㅂㅁㄱ •

면 ㅁㅂㅅㅇ •

면 ㄱㅁㅇㄹ •

• 면 ㄷㅅㅇㄹ

• 면 ㄴㅂㅅㄷ

• 면 ㄱㄴㄷㄹ

직육면체에서 색칠한 면과 수직인 면이 아닌 것에 ×표 하세요.

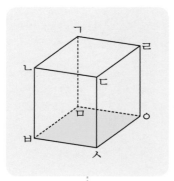

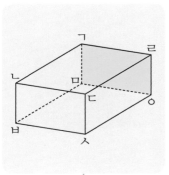

면 ㄴㅂㅅㄷ	면 ㄱㄴㄷㄹ	면 ㅁㅂㅅㅇ
면 ㄱㅁㅇㄹ	면 ㄴㅂㅅㄷ	면 ㄴㅂㅅㄷ
면 ㄱㄴㄷㄹ	면 ㅁㅂㅅㅇ	면 ㄷㅅㅇㄹ
면 ㄷㅅㅇㄹ	면 ㄷㅅㅇㄹ	면 ㄱㄴㅂㅁ
면 ㄱㄴㅂㅁ	면 ㄱㅁㅇㄹ	면 ㄱㄴㄷㄹ

밑면이 변하면 옆면도 바뀝니다.

직육면체의 옆면

직육면체의 한 꼭짓점에서 만나는 세 면은 모두 서로 수직으로 만납니다.
직육면체에서 **밑면과 수직인 면**을 직육면체의 옆면이라고 합니다.

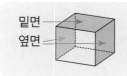

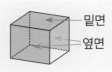

직육면체에서 한 면과 수직인 면은 **4개**입니다.

11 직육면체에서 주어진 면과 수직인 면을 모두 찾아 써 보세요.

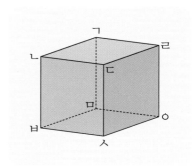

면 ㄱㄴㄷㄹ과 수직인 면

_____

_____

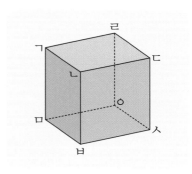

면 ㄹㅇㅅㄷ과 수직인 면

_____

_____

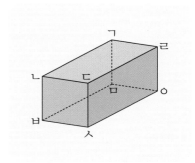

면 ㄴㅂㅅㄷ과 수직인 면

_____

_____

직육면체를 보고 빈칸에 알맞은 기호를 써넣으세요.

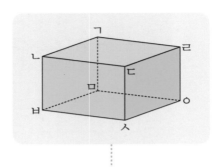

면 ㄱㄴㅂㅁ과 평행한 면은 면 [   ]입니다.

면 ㄱㄴㅂㅁ과 수직인 면은 면 ㄱㄴㄷㄹ, 면 ㅁㅂㅅㅇ,

면 [   ], 면 [   ]입니다.

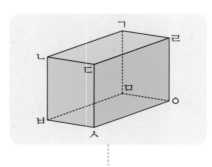

꼭짓점 ㄷ에서 만나는 면은 면 ㄱㄴㄷㄹ, 면 [   ], 면 [   ]입니다.

면 ㄴㅂㅅㄷ과 면 ㄱㄴㅂㅁ에 동시에 수직인 면은

면 [   ], 면 [   ]입니다.

1) 바르게 설명한 것에 ◯표, 잘못 설명한 것에 ✕표 하세요.

직육면체에서 평행한 면은 **3**쌍입니다. ⋯⋯⋯⋯⋯⋯⋯⋯ (　　)

직육면체의 밑면과 수직인 면을 옆면이라고 합니다. ⋯⋯⋯⋯⋯ (　　)

직육면체의 밑면이 변해도 옆면은 항상 같습니다. ⋯⋯⋯⋯⋯⋯ (　　)

직육면체에서 평행한 두 면은 모양과 크기가 같습니다. ⋯⋯⋯⋯ (　　)

직육면체에서 한 면과 수직으로 만나는 면은 **2**개입니다. ⋯⋯⋯ (　　)

직육면체의 한 꼭짓점에서 만나는 면은 **3**개입니다. ⋯⋯⋯⋯⋯ (　　)

직육면체의 한 모서리에서 만나는 두 면은 서로 평행합니다. ⋯⋯ (　　)

직육면체입니다. 빈칸에 알맞은 수를 써넣으세요.

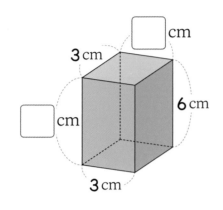

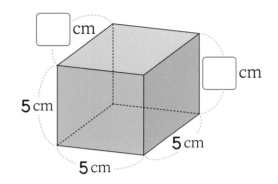

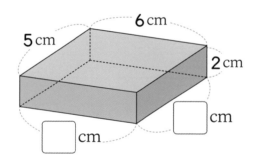

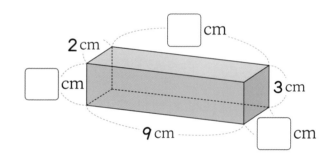

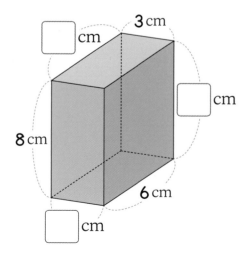

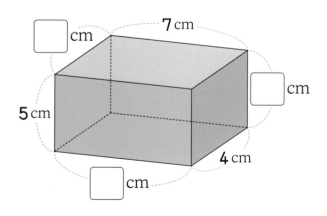

⑭ 직육면체를 보고 물음에 답하세요.

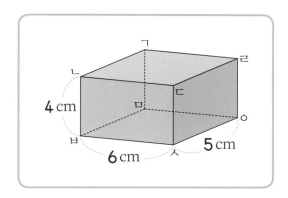

면 ㄴㅂㅅㄷ의 모서리 길이의 합은 몇 cm인가요?

( )cm

면 ㄱㄴㄷㄹ의 모서리 길이의 합은 몇 cm인가요?

( )cm

면 ㄷㅅㅇㄹ과 평행한 면의 모서리 길이의 합은 몇 cm인가요?

( )cm

모서리의 길이 (2)

① 직육면체를 보고 물음에 답하세요.

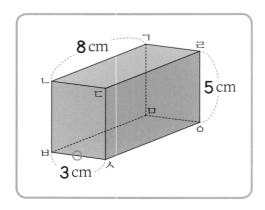

위의 직육면체에 모서리 ㅂㅅ과 길이가 같은 모서리에 모두 ◯표 하세요.

모서리 ㄱㄴ과 길이가 같은 모서리는 모서리 ㄱㄴ을 포함하여 몇 개인가요?

(   )개

직육면체의 모든 모서리 길이의 합은 몇 cm인가요?

(   )cm

💬 물음에 답하세요.

직육면체에서 보이지 않는 모서리 길이의 합은 몇 cm일까요?

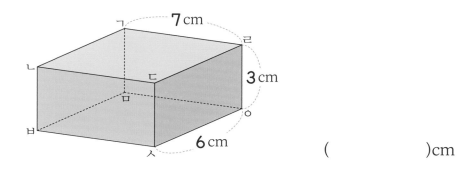

(   )cm

직육면체에서 보이는 모서리 길이의 합은 몇 cm일까요?

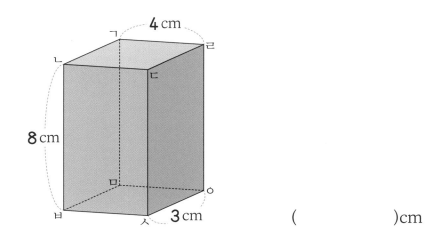

(   )cm

💬 물음에 답하세요.

다음은 정육면체입니다. 면 ㉮의 네 모서리 길이의 합은 몇 cm일까요?

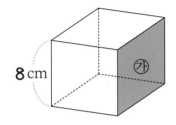

8 cm

(   )cm

한 모서리의 길이가 5 cm인 정육면체가 있습니다. 이 정육면체의 모서리 길이의 합은 몇 cm일까요?

(   )cm

모든 모서리 길이의 합이 108 cm인 정육면체가 있습니다. 이 정육면체의 한 모서리의 길이는 몇 cm일까요?

(   )cm

3주차
51~55일

정육면체의 전개도

<dd>51일</dd> <h1>평행한 면과 수직인 면</h1>

전개도를 접었을 때 색칠한 면과 평행한 면에 색칠해 보세요.

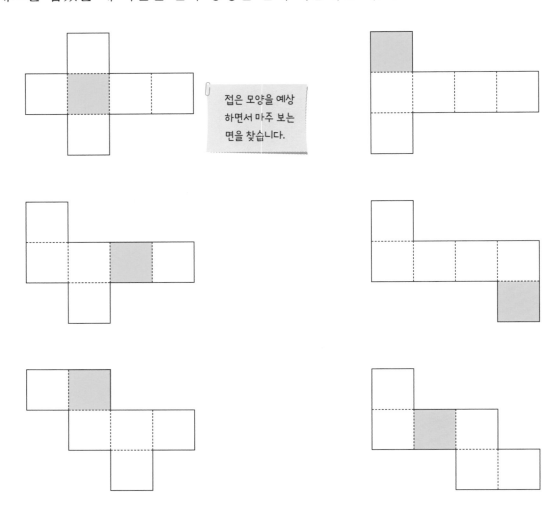

접은 모양을 예상 하면서 마주 보는 면을 찾습니다.

정육면체의 전개도

정육면체의 모서리를 잘라서 펼친 그림을 정육면체의 전개도라고 합니다.

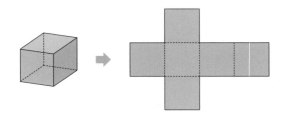

전개도에서 잘린 모서리는 **실선**으로,
잘리지 않는 모서리는 **점선**으로 그립니다.

💬 전개도를 접었을 때 색칠한 면과 수직인 면에 모두 색칠해 보세요.

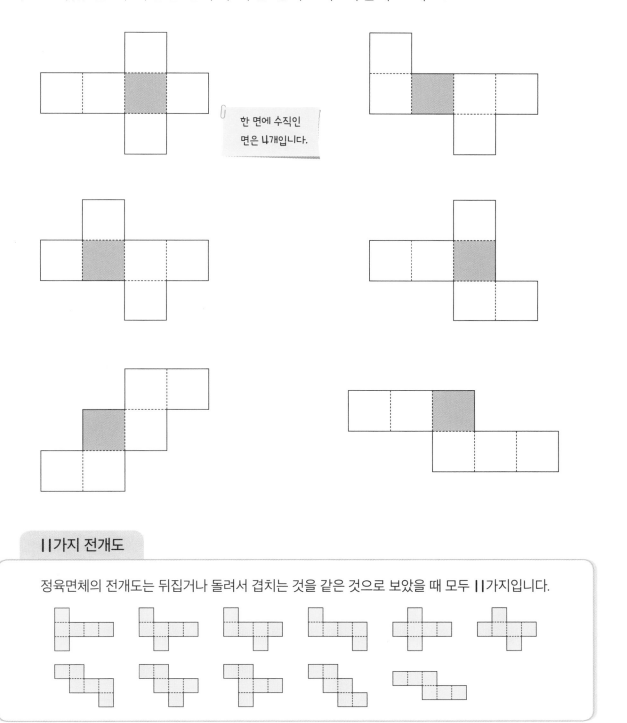

한 면에 수직인
면은 4개입니다.

11가지 전개도

정육면체의 전개도는 뒤집거나 돌려서 겹치는 것을 같은 것으로 보았을 때 모두 11가지입니다.

겹치는 선분과 만나는 점

🔘 전개도를 접었을 때 —— 표시된 선분과 겹치는 선분에 ◯표 하세요.

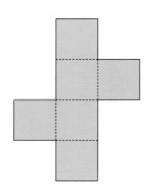
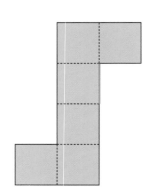
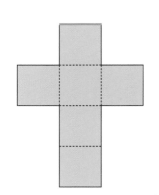

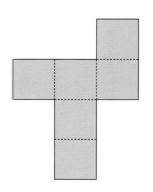
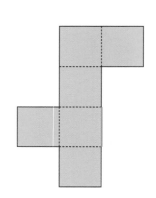
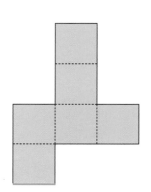

접은 모양 예상하기

정육면체의 전개도를 접은 모양을 예상하여 겹치는 선분과 만나는 점을 찾을 수 있습니다.

🅜 전개도를 접었을 때 • 표시된 점과 만나는 점에 모두 • 표 하세요.

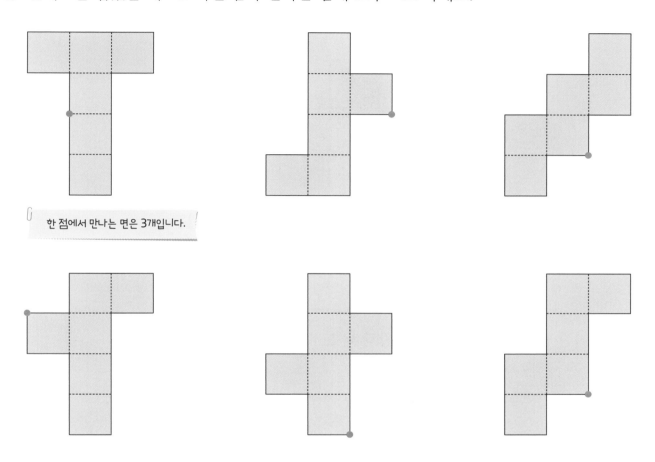

한 점에서 만나는 면은 3개입니다.

면 옮기기

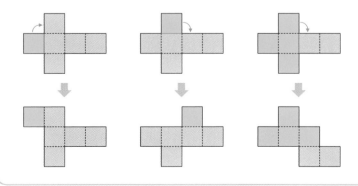

전개도의 면을 잘라 겹치는 선분끼리 맞닿도록 돌려서 붙일 수 있습니다.

ㄴ으로 꺾이는 부분의 두 선분은 서로 겹치므로 전개도에서 접히는 부분을 잘라 ㄴ으로 꺾이는 부분끼리 돌려서 붙일 수 있습니다.

전개도 관찰하기

전개도를 접어서 정육면체를 만들었습니다. 물음에 답하세요.

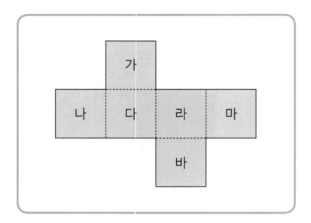

주어진 면과 평행한 면을 찾아 각각 써 보세요.

면 가 — (   )   면 나 — (   )   면 다 — (   )

주어진 면과 수직인 면을 모두 찾아 각각 써 보세요.

면 라와 수직인 면   (   ), (   ), (   ), (   )

면 마와 수직인 면   (   ), (   ), (   ), (   )

전개도를 접어서 정육면체를 만들었습니다. 물음에 답하세요.

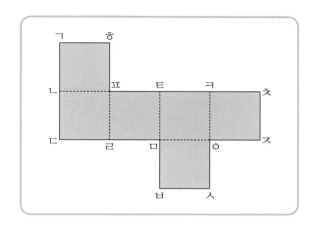

주어진 선분과 겹치는 선분을 찾아 각각 써 보세요.

선분 ㅎㅍ ― (   )   선분 ㅂㅅ ― (   )

선분 ㄴㄷ ― (   )   선분 ㅌㅋ ― (   )

주어진 점과 만나는 점을 찾아 각각 써 보세요.

점 ㅎ ― (   )   점 ㄴ ― (   )

점 ㅅ ― (   ), (   )

전개도 완성하기

🕚 정육면체의 전개도에서 빠진 안쪽 부분을 점선으로 그려 보세요.

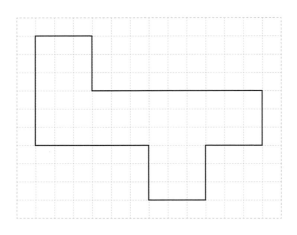

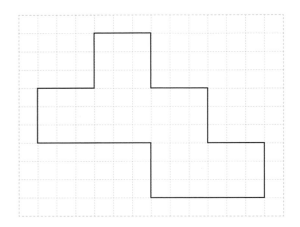

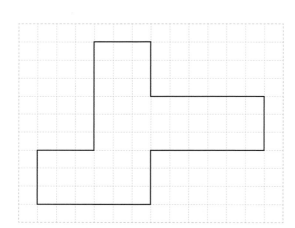

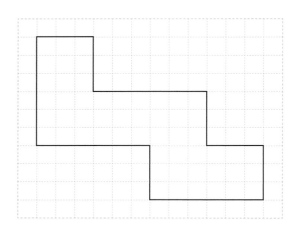

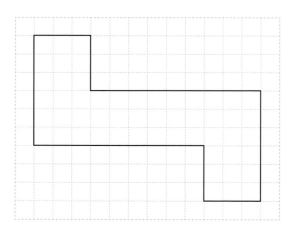

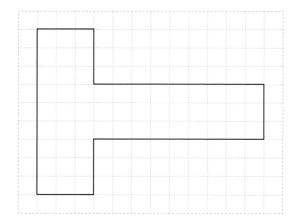

⑪ 정육면체의 전개도에서 빠진 부분을 그려 보세요.

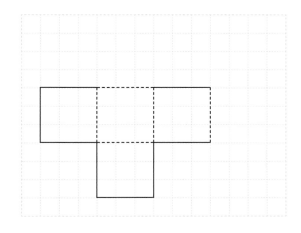 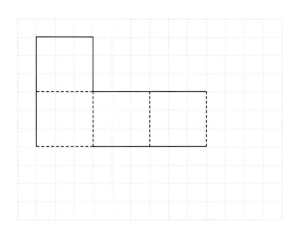

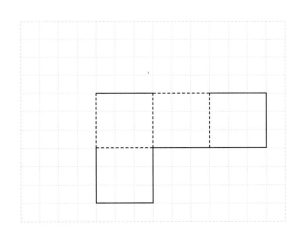 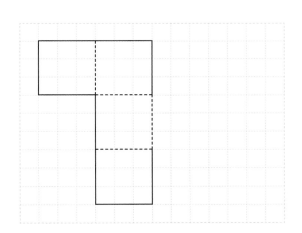

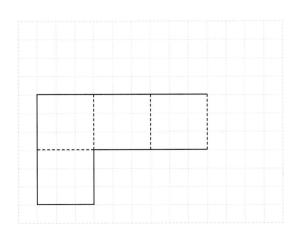 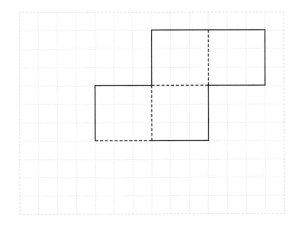

올바른 전개도

⓫ 정육면체의 전개도가 아닌 것에 ×표 하세요.

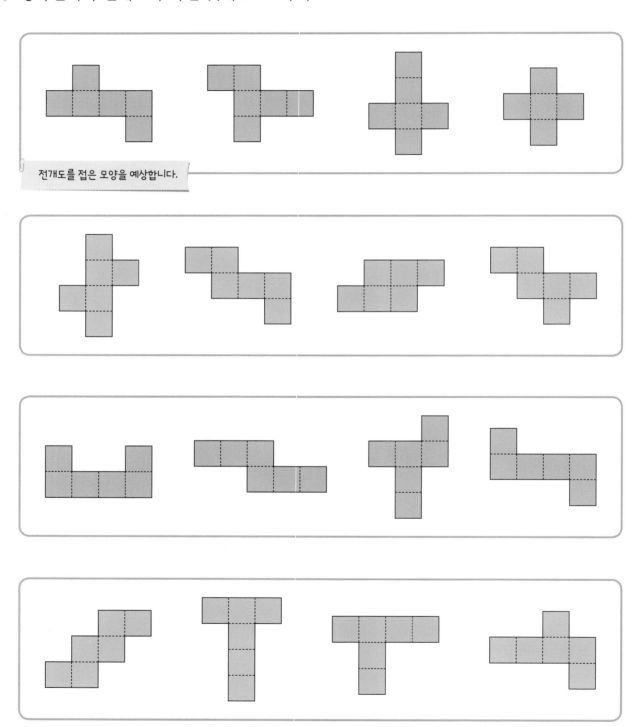

전개도를 접은 모양을 예상합니다.

04 정사각형 모양의 색종이 6장을 연결한 다음, 접어서 정육면체를 만들려고 합니다. 색종이 1장을 더 연결해야 하는 곳의 기호를 써 보세요.

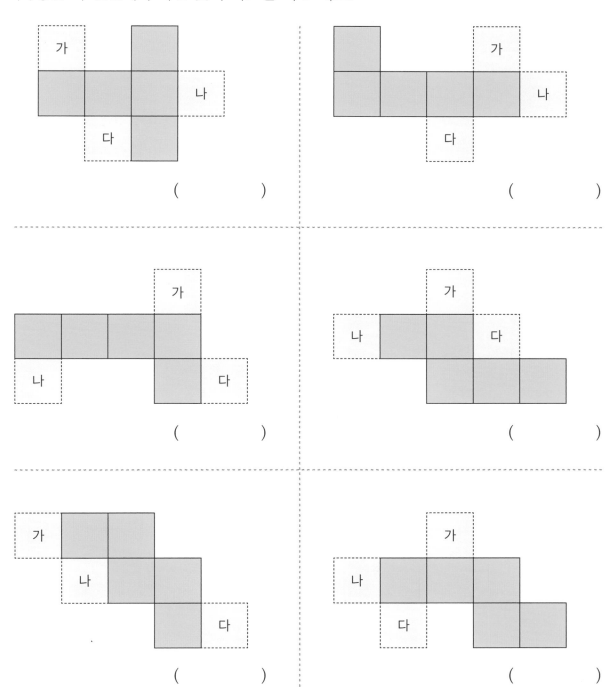

(   )

(   )

(   )

(   )

(   )

(   )

잘못 그린 정육면체의 전개도입니다. 옮겨야 하는 면 1개에 ✕표 하고, 면 1개를 더 그려 올바른 전개도를 완성해 보세요.

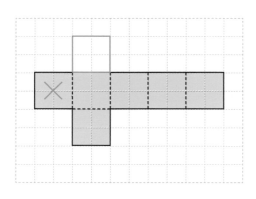

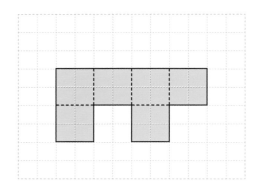

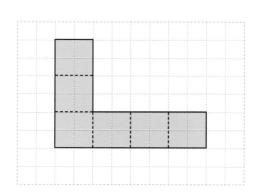

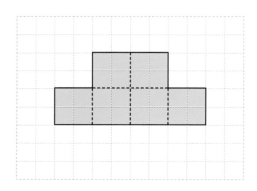

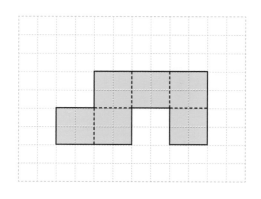

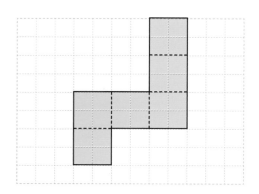

4주차
56~60일

직육면체의 전개도

⑪ 전개도를 접었을 때 색칠한 면과 평행한 면에 ◯표, 색칠한 면과 수직인 면에 모두 △표 하세요.

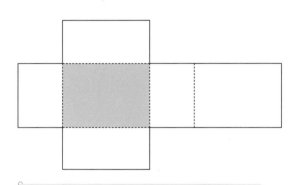

직육면체의 평행한 두 면은 모양과 크기가 같습니다.

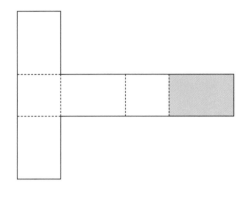

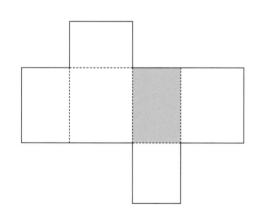

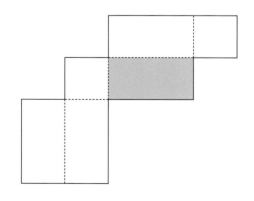

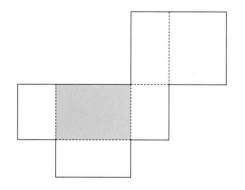

전개도를 접어서 직육면체를 만들었습니다. 물음에 답하세요.

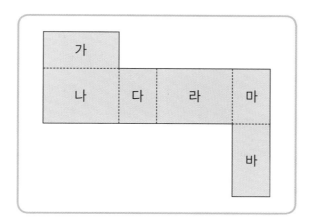

주어진 면과 평행한 면을 찾아 각각 써 보세요.

면 가 - (   )   면 다 - (   )   면 라 - (   )

주어진 면과 수직인 면을 모두 찾아 각각 써 보세요.

면 다와 수직인 면   (   ), (   ), (   ), (   )

면 바와 수직인 면   (   ), (   ), (   ), (   )

⑪ 전개도를 접었을 때 —— 표시된 선분과 겹치는 선분에 ○표, • 표시된 점과 만나는 점
에 모두 • 표 하세요.

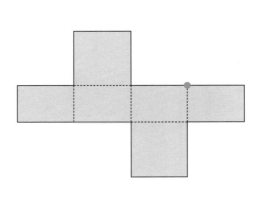

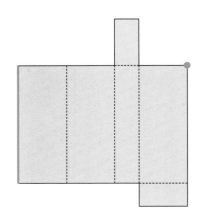

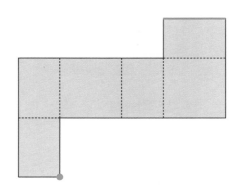

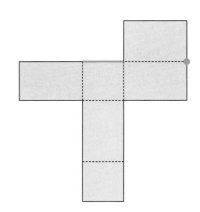

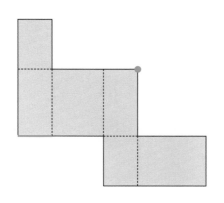

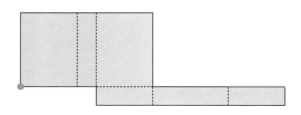

⑪ 전개도를 접어서 직육면체를 만들었습니다. 물음에 답하세요.

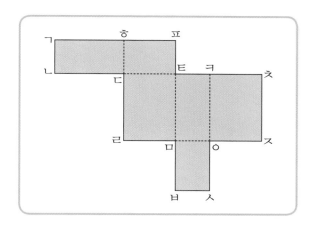

주어진 선분과 겹치는 선분을 찾아 각각 써 보세요.

선분 ㄴㄷ ─ (   )   선분 ㅇㅅ ─ (   )

선분 ㅋㅊ ─ (   )   선분 ㄱㄴ ─ (   )

주어진 점과 만나는 점을 찾아 각각 써 보세요.

점 ㅍ ─ (   )   점 ㅊ ─ (   )

점 ㄹ ─ (   ), (   )

직육면체 펼치기

🕛 왼쪽 직육면체를 펼친 전개도입니다. 빈칸에 알맞은 수를 써넣으세요.

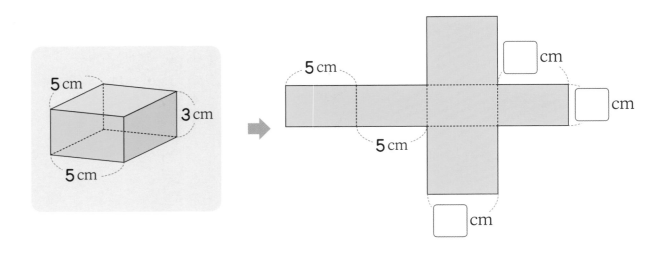

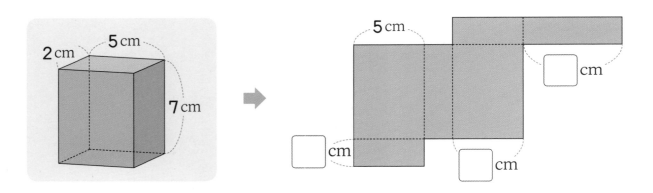

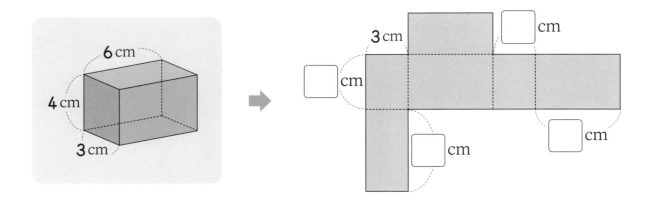

🎈 왼쪽 직육면체를 펼친 전개도입니다. 빈칸에 알맞은 기호를 써넣으세요.

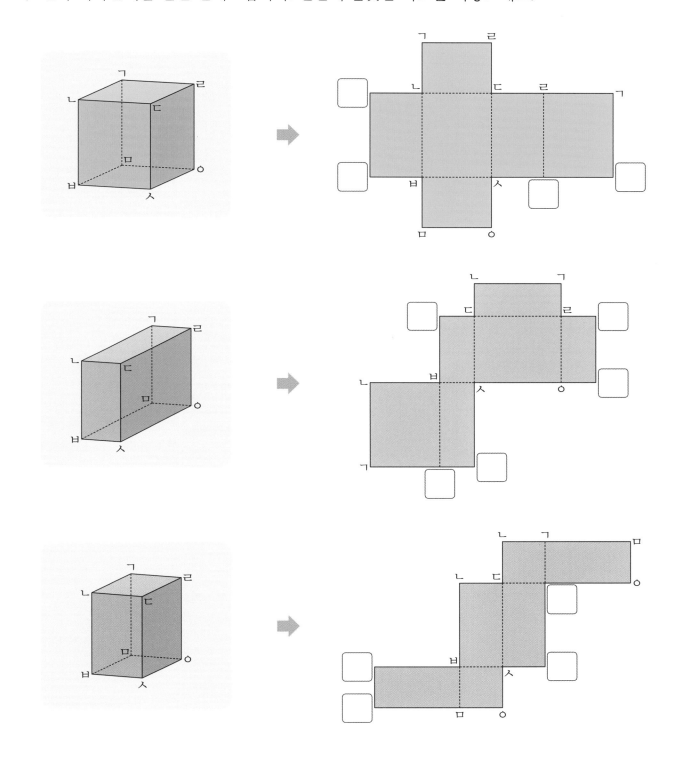

직육면체의 전개도에서 빠진 안쪽 부분을 점선으로 그려 보세요.

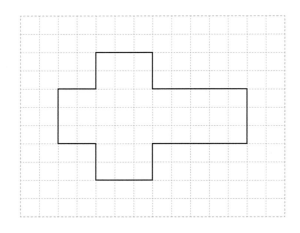

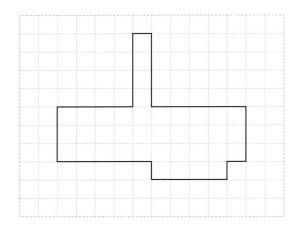

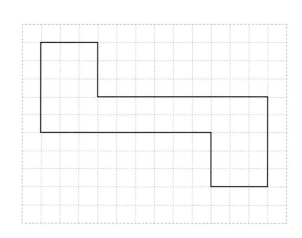

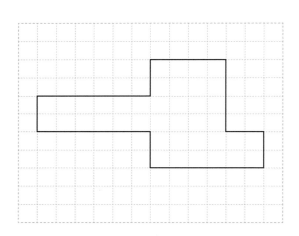

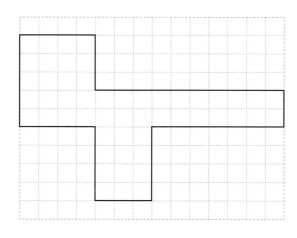

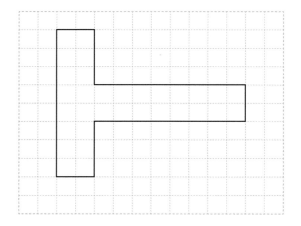

💬 주어진 직육면체의 전개도를 여러 가지 방법으로 그리고 있습니다. 빠진 부분을 그려 전개도를 완성해 보세요.

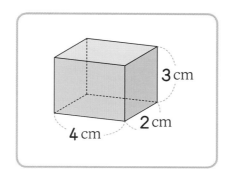

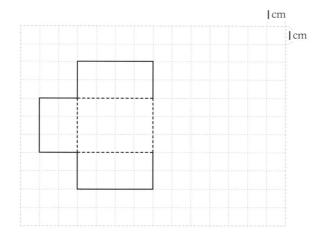

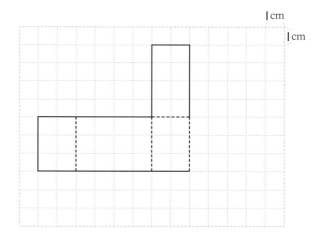

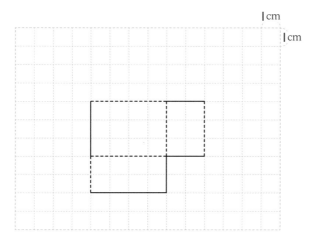

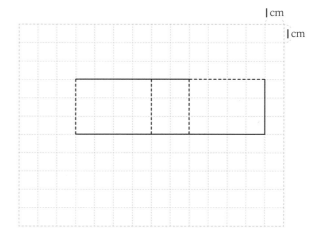

직육면체의 전개도가 아닌 것에 ✕표 하세요.

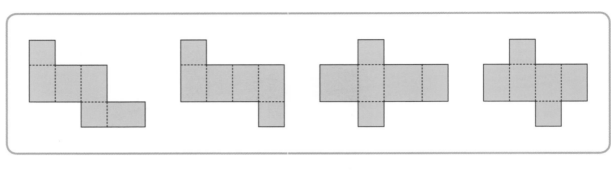

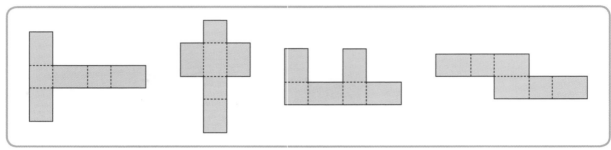

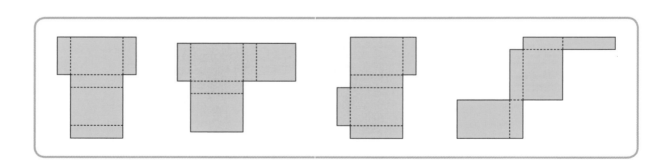

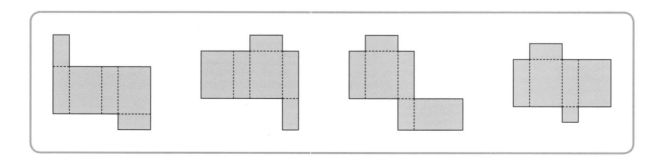

잘못 그린 직육면체의 전개도입니다. 옮겨야 하는 면 1개에 ×표 하고, 면 1개를 더 그려 올바른 전개도를 완성해 보세요.

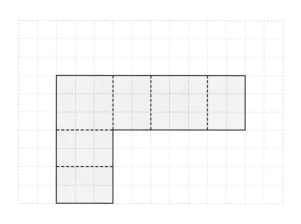

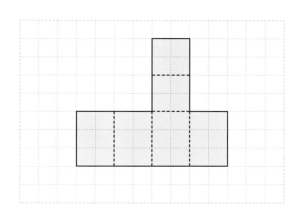

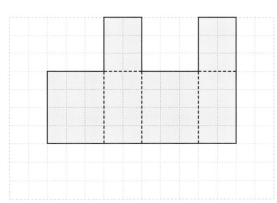

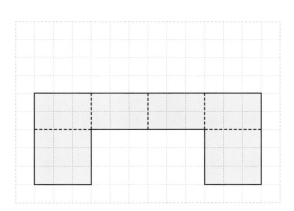

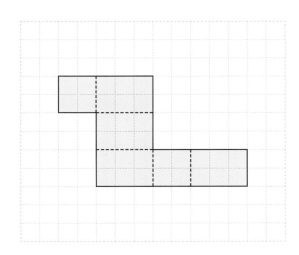

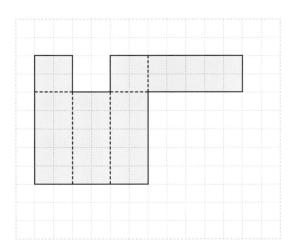

직육면체의 전개도를 |가지씩 그려 보세요.

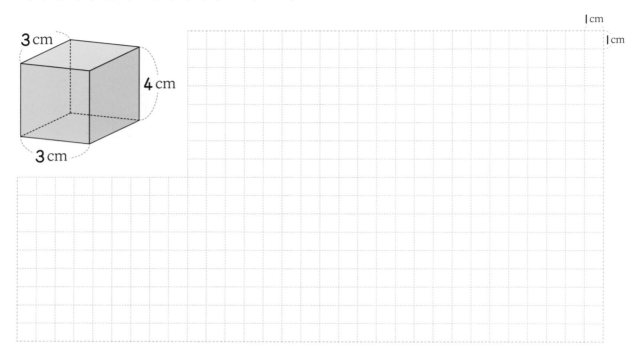

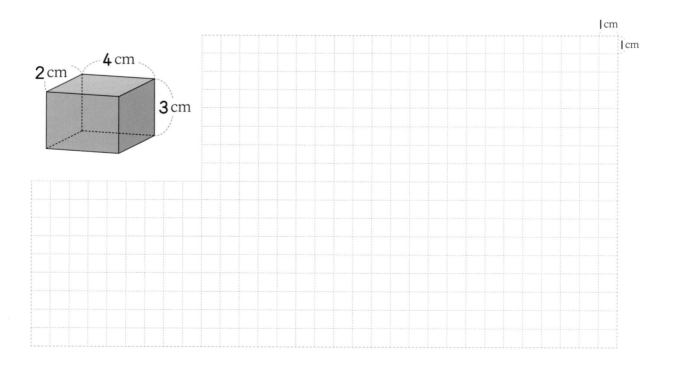

도형 플러스+

- 전개도의 무늬 -

주사위의 전개도

▶ 주사위의 마주 보는 면에 있는 눈의 수를 합하면 **7**입니다. 알맞게 이어 보세요.

주사위의 마주 보는 면에 있는 눈의 수를 합하면 **7**입니다. 전개도의 빈 곳에 주사위 눈을 알맞게 그려 보세요.

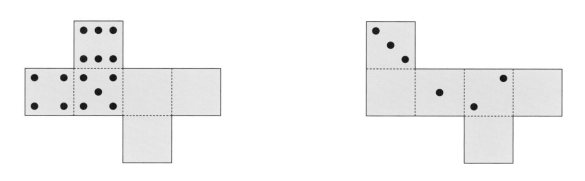

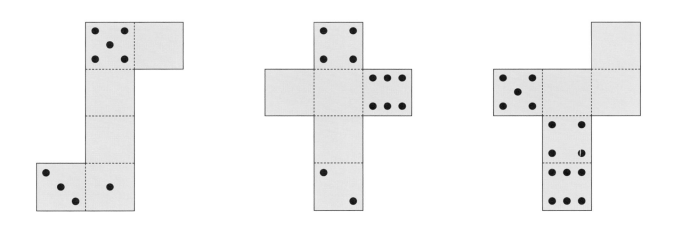

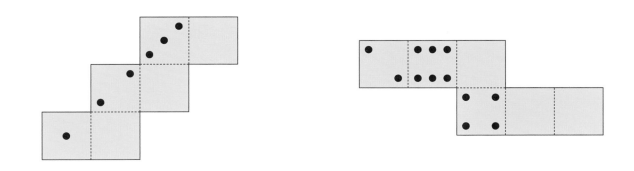

정육면체의 무늬

왼쪽 정육면체는 세 면에 무늬가 그려져 있습니다. 정육면체의 전개도가 아닌 것에
×표 하세요.

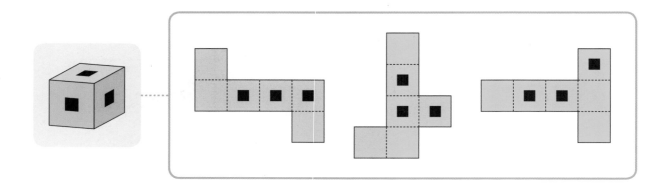

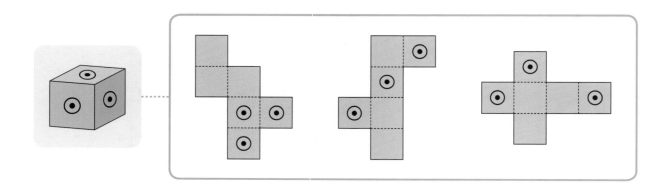

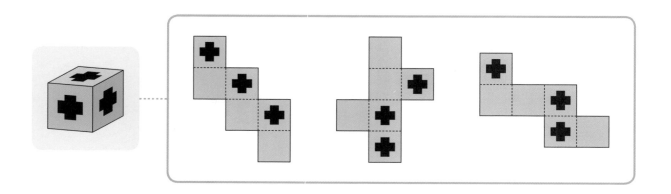

🔵 왼쪽 정육면체는 세 면에 무늬가 그려져 있습니다. 정육면체를 펼친 전개도가 되도록 알맞은 곳에 무늬를 1개씩 그려 넣으세요.

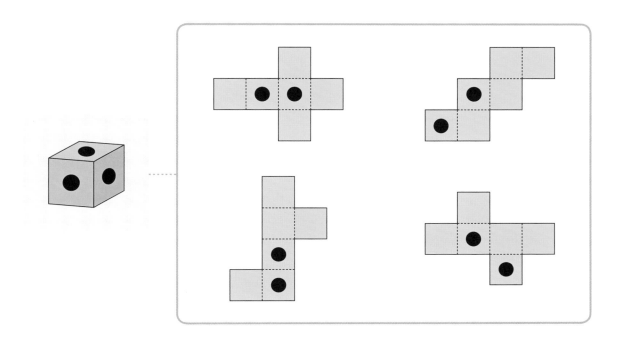

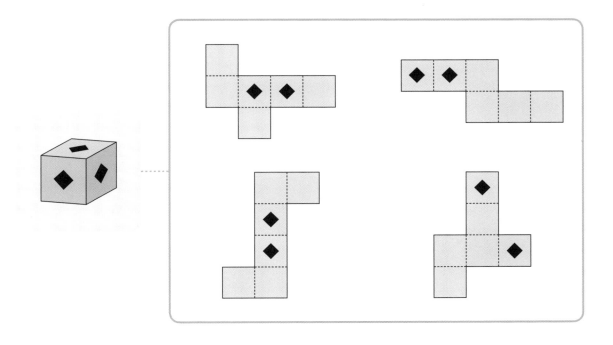

직육면체의 무늬

PLUS 3

전개도의 네 면에 선을 그었습니다. 전개도를 접었을 때 알맞은 직육면체를 찾아 ◯표 하세요.

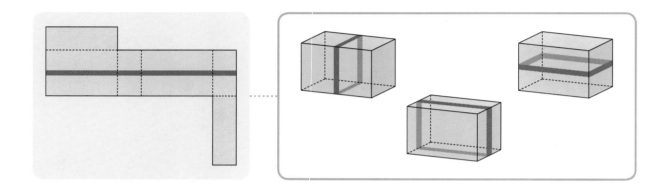

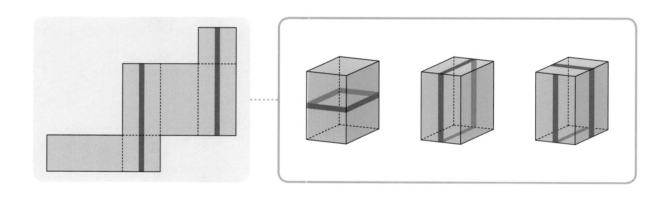

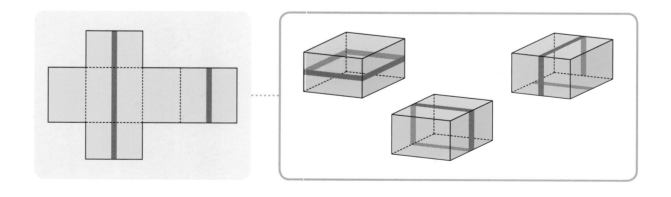

직육면체의 네 면에 선을 그었습니다. 직육면체를 펼친 전개도에 알맞게 선을 그어 보세요.

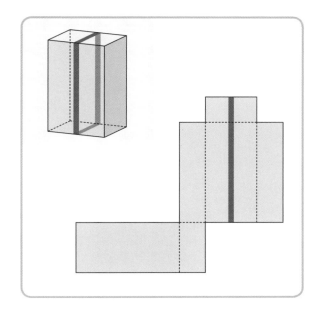

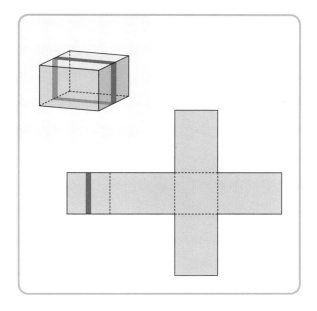

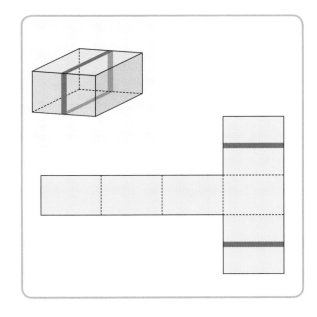

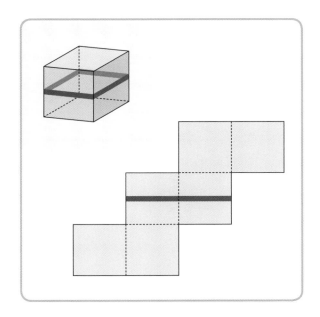

memo

형성평가

1 직육면체 각 부분의 이름을 써 보세요.

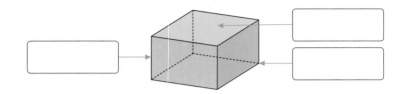

2 직육면체에서 색칠한 면과 평행한 면, 수직인 면을 각각 모두 써 보세요.

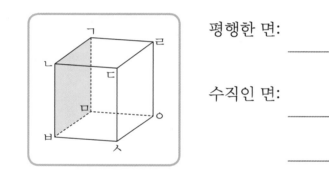

평행한 면: _____

수직인 면: _____

_____

3 직육면체를 보고 잘못 설명한 것을 찾아 기호를 써 보세요.

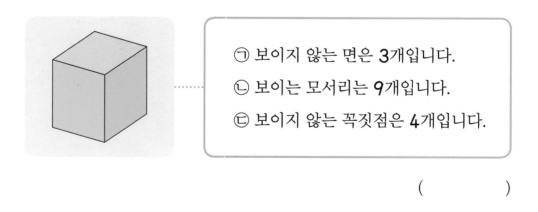

㉠ 보이지 않는 면은 **3**개입니다.

㉡ 보이는 모서리는 **9**개입니다.

㉢ 보이지 않는 꼭짓점은 **4**개입니다.

(   )

4 직육면체의 겨냥도에서 잘못 그린 곳의 기호를 모두 써 보세요.

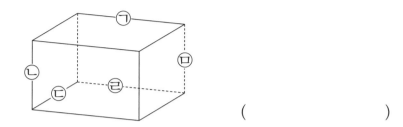

(   )

5 접었을 때 직육면체를 만들 수 있는 것에 모두 ◯표 하세요.

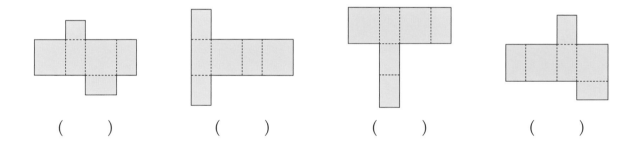

(   )   (   )   (   )   (   )

6 직육면체의 전개도를 완성해 보세요.

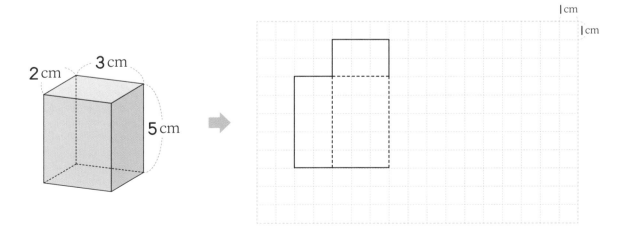

1 직육면체를 모두 찾아 ◯표 하세요.

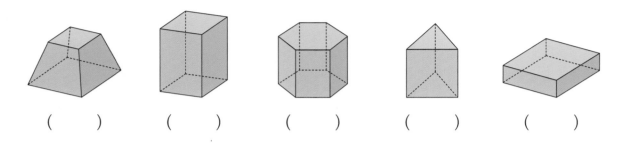

(   )   (   )   (   )   (   )   (   )

2 빈칸에 알맞은 수를 써넣으세요.

직육면체의 한 면과 평행한 면은 [ ]개입니다.

직육면체의 한 면과 수직인 면은 [ ]개입니다.

3 그림에서 빠진 부분을 그려 넣어 직육면체의 겨냥도를 완성해 보세요.

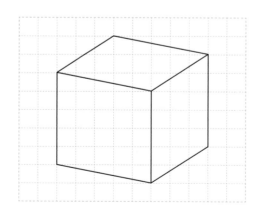
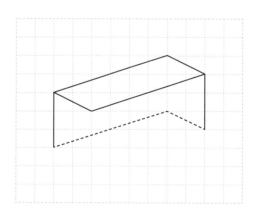

4   한 모서리의 길이가 **6**cm인 정육면체가 있습니다. 이 정육면체의 모서리 길이의 합은 몇 cm일까요?

(   )cm

5   전개도를 접어서 정육면체를 만들었습니다. 빈 곳에 알맞은 선분과 점을 써 보세요.

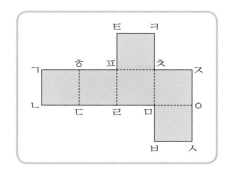

선분 ㅂㅅ과 겹치는 선분 — (   )

점 ㅈ과 만나는 점 — (   ), (   )

6   정육면체의 모서리를 잘라 전개도를 만들었습니다. 빈칸에 알맞은 기호를 써넣으세요.

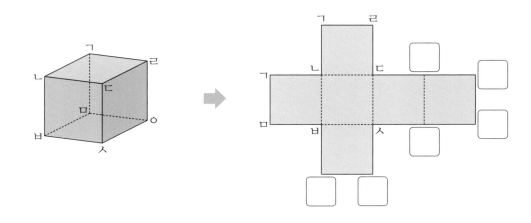

memo

정답

E3
직육면체

1주차 직육면체 알기

41일 직육면체

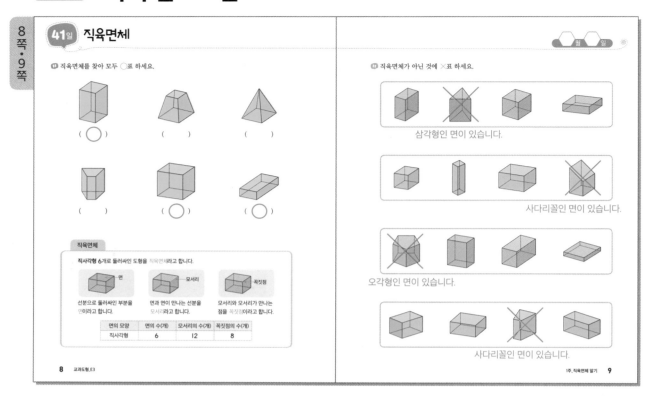

직육면체를 찾아 모두 ◯표 하세요.

(◯) ( ) ( )

( ) (◯) (◯)

직육면체

직사각형 6개로 둘러싸인 도형을 직육면체라고 합니다.

면 — 선분으로 둘러싸인 부분을 면이라고 합니다.

모서리 — 면과 면이 만나는 선분을 모서리라고 합니다.

꼭짓점 — 모서리와 모서리가 만나는 점을 꼭짓점이라고 합니다.

면의 모양	면의 수(개)	모서리의 수(개)	꼭짓점의 수(개)
직사각형	6	12	8

직육면체가 아닌 것에 ✕표 하세요.

삼각형인 면이 있습니다.

사다리꼴인 면이 있습니다.

오각형인 면이 있습니다.

사다리꼴인 면이 있습니다.

42일 정육면체

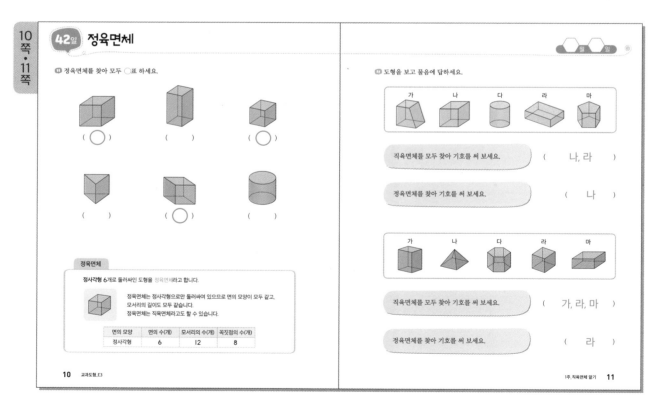

정육면체를 찾아 모두 ◯표 하세요.

(◯) ( ) (◯)

( ) (◯) ( )

정육면체

정사각형 6개로 둘러싸인 도형을 정육면체라고 합니다.

정육면체는 정사각형으로만 둘러싸여 있으므로 면의 모양이 모두 같고, 모서리의 길이도 모두 같습니다.
정육면체는 직육면체라고도 할 수 있습니다.

면의 모양	면의 수(개)	모서리의 수(개)	꼭짓점의 수(개)
정사각형	6	12	8

도형을 보고 물음에 답하세요.

가 나 다 라 마

직육면체를 모두 찾아 기호를 써 보세요. (나, 라)

정육면체를 찾아 기호를 써 보세요. (나)

가 나 다 라 마

직육면체를 모두 찾아 기호를 써 보세요. (가, 라, 마)

정육면체를 찾아 기호를 써 보세요. (라)

43일 겨냥도

⑪ 직육면체의 겨냥도를 바르게 그린 것을 찾아 모두 ○표 하세요.

⑫ 보이지 않는 모서리를 그려 넣어 겨냥도를 완성해 보세요.

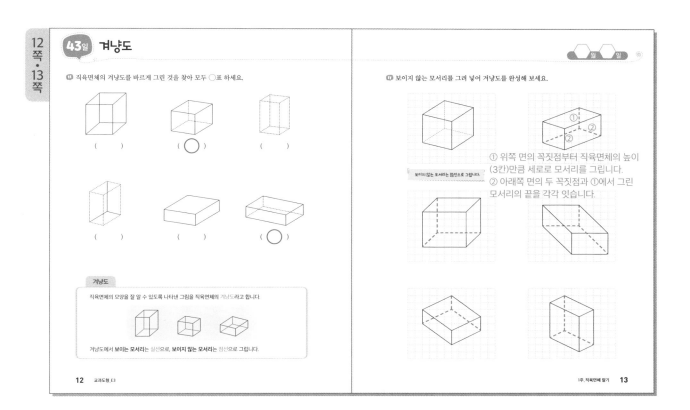

① 위쪽 면의 꼭짓점부터 직육면체의 높이 (3칸)만큼 세로로 모서리를 그립니다.
② 아래쪽 면의 두 꼭짓점과 ①에서 그린 모서리의 끝을 각각 잇습니다.

보이지 않는 모서리는 점선으로 그립니다.

겨냥도

직육면체의 모양을 잘 알 수 있도록 나타낸 그림을 직육면체의 겨냥도라고 합니다.

겨냥도에서 보이는 모서리는 실선으로, 보이지 않는 모서리는 점선으로 그립니다.

44일 겨냥도 그리기

⑪ 그림에서 빠진 부분을 그려 넣어 직육면체의 겨냥도를 완성해 보세요.

⑫ 왼쪽 직육면체와 똑같은 모양의 겨냥도를 그려 보세요.

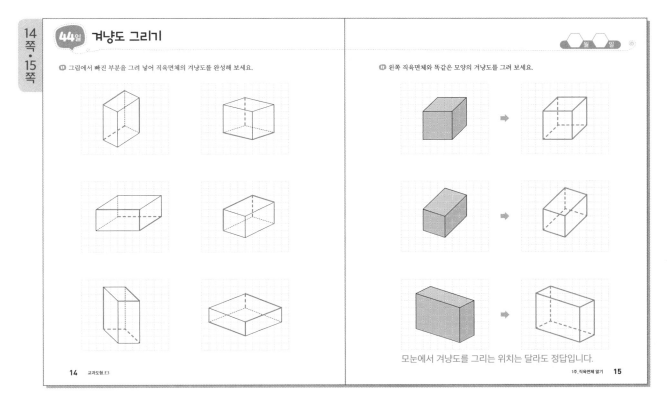

모눈에서 겨냥도를 그리는 위치는 달라도 정답입니다.

45일 도형 설명하기

16쪽·17쪽

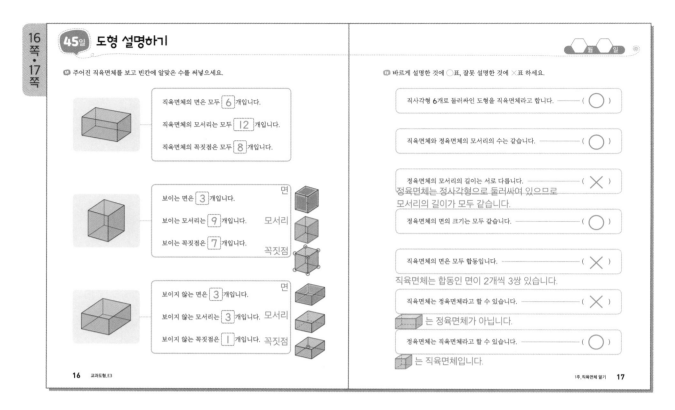

⑥ 주어진 직육면체를 보고 빈칸에 알맞은 수를 써넣으세요.

직육면체의 면은 모두 **6** 개입니다.

직육면체의 모서리는 모두 **12** 개입니다.

직육면체의 꼭짓점은 모두 **8** 개입니다.

보이는 면은 **3** 개입니다. 면

보이는 모서리는 **9** 개입니다. 모서리

보이는 꼭짓점은 **7** 개입니다. 꼭짓점

보이지 않는 면은 **3** 개입니다. 면

보이지 않는 모서리는 **3** 개입니다. 모서리

보이지 않는 꼭짓점은 **1** 개입니다. 꼭짓점

16 교과도형_E3

⑩ 바르게 설명한 것에 ○표, 잘못 설명한 것에 ×표 하세요.

직사각형 6개로 둘러싸인 도형을 직육면체라고 합니다. —— (○)

직육면체와 정육면체의 모서리의 수는 같습니다. —— (○)

정육면체의 모서리의 길이는 서로 다릅니다. —— (×)
정육면체는 정사각형으로 둘러싸여 있으므로
모서리의 길이가 모두 같습니다.

정육면체의 면의 크기는 모두 같습니다. —— (○)

직육면체의 면은 모두 합동입니다. —— (×)
직육면체는 합동인 면이 2개씩 3쌍 있습니다.

직육면체는 정육면체라고 할 수 있습니다. —— (×)
는 정육면체가 아닙니다.

정육면체는 직육면체라고 할 수 있습니다. —— (○)
는 직육면체입니다.

18쪽

⑪ 다음 도형이 직육면체 또는 정육면체가 아닌 이유를 써 보세요.

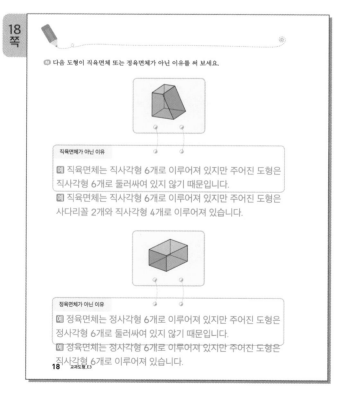

직육면체가 아닌 이유

예 직육면체는 직사각형 6개로 이루어져 있지만 주어진 도형은 직사각형 6개로 둘러싸여 있지 않기 때문입니다.

예 직육면체는 직사각형 6개로 이루어져 있지만 주어진 도형은 사다리꼴 2개와 직사각형 4개로 이루어져 있습니다.

정육면체가 아닌 이유

예 정육면체는 정사각형 6개로 이루어져 있지만 주어진 도형은 정사각형 6개로 둘러싸여 있지 않기 때문입니다.

예 정육면체는 정사각형 6개로 이루어져 있지만 주어진 도형은 직사각형 6개로 이루어져 있습니다.

18 교과도형_E3

[직육면체의 면, 모서리, 꼭짓점의 수]

	보이는 부분	보이지 않는 부분	전체
면의 수(개)	3	3	6
모서리의 수 (개)	9	3	12
꼭짓점의 수 (개)	7	1	8

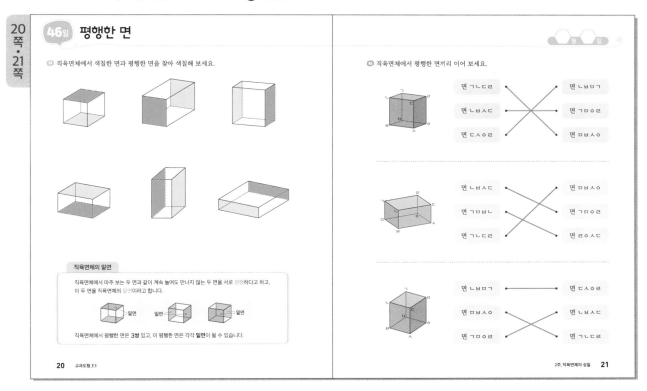

46일 평행한 면

직육면체에서 색칠한 면과 평행한 면을 찾아 색칠해 보세요.

직육면체의 밑면

직육면체에서 마주 보는 두 면과 같이 계속 늘여도 만나지 않는 두 면을 서로 평행하다고 하고, 이 두 면을 직육면체의 밑면이라고 합니다.

직육면체에서 평행한 면은 **3쌍** 있고, 이 평행한 면은 각각 **밑면**이 될 수 있습니다.

직육면체에서 평행한 면끼리 이어 보세요.

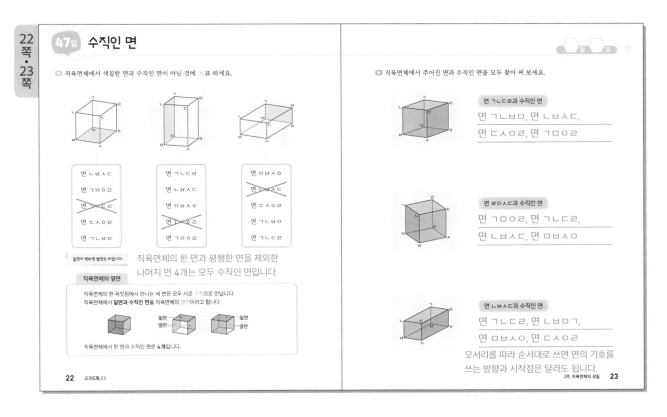

47일 수직인 면

직육면체에서 색칠한 면과 수직인 면이 아닌 것에 ×표 하세요.

직육면체의 한 면과 평행한 면을 제외한 나머지 면 4개는 모두 수직인 면입니다.

밑면이 변하면 옆면도 바뀝니다.

직육면체의 옆면

직육면체의 한 꼭짓점에서 만나는 세 면은 모두 서로 수직으로 만납니다.
직육면체에서 밑면과 수직인 직육면체의 옆면이라고 합니다.

직육면체에서 한 면과 수직인 면은 **4개**입니다.

직육면체에서 주어진 면과 수직인 면을 모두 찾아 써 보세요.

면 ㄱㄴㄷㄹ과 수직인 면

면 ㄱㄴㅂㅁ, 면 ㄴㅂㅅㄷ,
면 ㄷㅅㅇㄹ, 면 ㄱㅁㅇㄹ

면 ㄹㅇㅅㄷ과 수직인 면

면 ㄱㅁㅇㄹ, 면 ㄱㄴㄷㄹ,
면 ㄴㅂㅅㄷ, 면 ㅁㅂㅅㅇ

면 ㄴㅂㅅㄷ과 수직인 면

면 ㄱㄴㄷㄹ, 면 ㄴㅂㅁㄱ,
면 ㅁㅂㅅㅇ, 면 ㄷㅅㅇㄹ

모서리를 따라 순서대로 쓰면 면의 기호를 쓰는 방향과 시작점은 달라도 됩니다.

정답

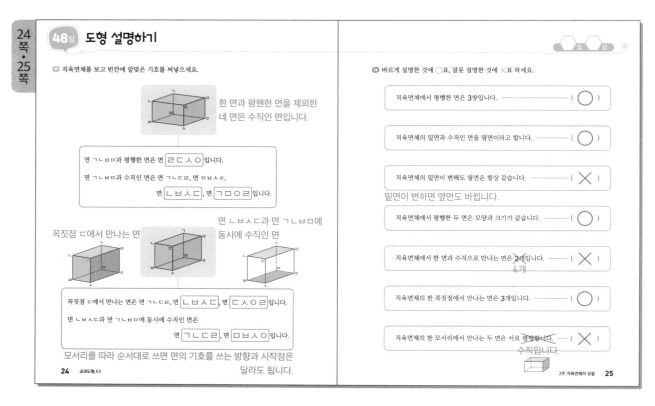

48일 도형 설명하기

① 직육면체를 보고 빈칸에 알맞은 기호를 써넣으세요.

한 면과 평행한 면을 제외한 네 면은 수직인 면입니다.

면 ㄱㄴㅂㅁ과 평행한 면은 면 ㄹㄷㅂㅇ 입니다.

면 ㄱㄴㅂㅁ과 수직인 면은 면 ㄱㄴㄷㄹ, 면 ㅁㅂㅅㅇ,
면 ㄴㅂㅅㄷ, 면 ㄱㅁㅇㄹ 입니다.

꼭짓점 ㄷ에서 만나는 면

면 ㄴㅂㅅㄷ과 면 ㄱㄴㅂㅁ에 동시에 수직인 면

꼭짓점 ㄷ에서 만나는 면은 면 ㄱㄴㄷㄹ, 면 ㄴㅂㅅㄷ, 면 ㄷㅅㅇㄹ 입니다.

면 ㄴㅂㅅㄷ과 면 ㄱㄴㅂㅁ에 동시에 수직인 면은
면 ㄱㄴㄷㄹ, 면 ㅁㅂㅅㅇ 입니다.

모서리를 따라 순서대로 쓰면 면의 기호를 쓰는 방향과 시작점은 달라도 됩니다.

24 교과도형_E3

② 바르게 설명한 것에 ◯표, 잘못 설명한 것에 ✕표 하세요.

직육면체에서 평행한 면은 3쌍입니다. ──── (◯)

직육면체의 밑면과 수직인 면을 옆면이라고 합니다. ──── (◯)

직육면체의 밑면이 변해도 옆면은 항상 같습니다. ──── (✕)
밑면이 변하면 옆면도 바뀝니다.

직육면체에서 평행한 두 면은 모양과 크기가 같습니다. ──── (◯)

직육면체에서 한 면과 수직으로 만나는 면은 2개입니다. ──── (✕)
4개

직육면체의 한 꼭짓점에서 만나는 면은 3개입니다. ──── (◯)

직육면체의 한 모서리에서 만나는 두 면은 서로 평행합니다. ── (✕)
수직입니다.

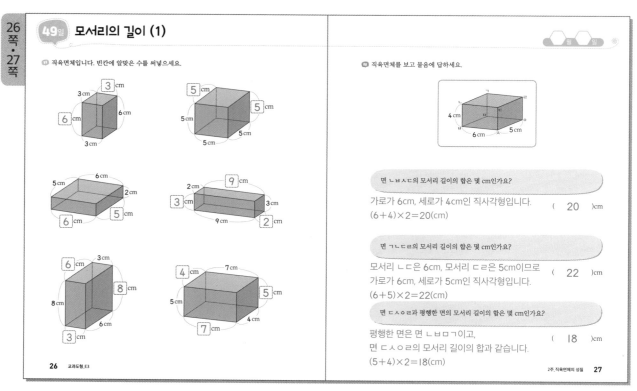

49일 모서리의 길이 (1)

③ 직육면체입니다. 빈칸에 알맞은 수를 써넣으세요.

3cm, 3cm, 6cm, 6cm, 3cm, 3cm

5cm, 5cm, 5cm, 5cm, 5cm, 5cm

5cm, 6cm, 2cm, 2cm, 6cm, 5cm

2cm, 9cm, 3cm, 3cm, 9cm, 2cm

6cm, 3cm, 8cm, 8cm, 6cm, 3cm

4cm, 7cm, 5cm, 5cm, 4cm, 7cm

26 교과도형_E3

④ 직육면체를 보고 물음에 답하세요.

4cm, 6cm, 5cm

면 ㄴㅂㅅㄷ의 모서리 길이의 합은 몇 cm인가요?

가로가 6cm, 세로가 4cm인 직사각형입니다.
(6+4)×2=20(cm)   (20)cm

면 ㄱㄴㄷㄹ의 모서리 길이의 합은 몇 cm인가요?

모서리 ㄴㄷ은 6cm, 모서리 ㄷㄹ은 5cm이므로
가로가 6cm, 세로가 5cm인 직사각형입니다.   (22)cm
(6+5)×2=22(cm)

면 ㄷㅅㅇㄹ과 평행한 면의 모서리 길이의 합은 몇 cm인가요?

평행한 면은 면 ㄴㅂㅁㄱ이고,
면 ㄷㅅㅇㄹ의 모서리 길이의 합과 같습니다.   (18)cm
(5+4)×2=18(cm)

50일 모서리의 길이 (2)

◎ 직육면체를 보고 물음에 답하세요.

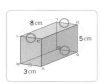

> 위의 직육면체에 모서리 ㅂㅅ과 길이가 같은 모서리에 모두 ◯표 하세요.

모서리 ㄴㄷ, 모서리 ㄱㄹ, 모서리 ㅁㅇ

> 모서리 ㄱㄴ과 길이가 같은 모서리는 모서리 ㄱㄴ을 포함하여 몇 개인가요?

모서리 ㄱㄴ, 모서리 ㄹㄷ,
모서리 ㅁㅂ, 모서리 ㅇㅅ   (4)개

> 직육면체의 모든 모서리 길이의 합은 몇 cm인가요?

길이가 같은 모서리는 4개씩 있습니다.   (64)cm
(3cm, 8cm, 5cm 길이의 모서리가 4개씩 있습니다.)
(3+8+5)×4=64(cm)

28   교과도형_E3

◎ 물음에 답하세요.

> 직육면체에서 보이지 않는 모서리 길이의 합은 몇 cm일까요?

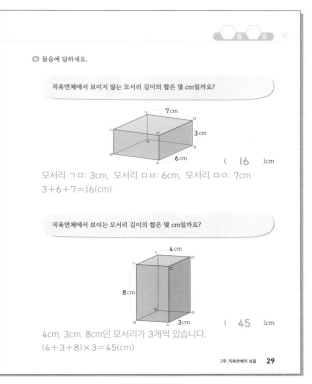
(16)cm

모서리 ㄱㅁ: 3cm, 모서리 ㅁㅂ: 6cm, 모서리 ㅁㅇ: 7cm
3+6+7=16(cm)

> 직육면체에서 보이는 모서리 길이의 합은 몇 cm일까요?

(45)cm

4cm, 3cm, 8cm인 모서리가 3개씩 있습니다.
(4+3+8)×3=45(cm)

2주·직육면체의 성질   29

◎ 물음에 답하세요.

> 다음은 정육면체입니다. 면 ㉠의 네 모서리 길이의 합은 몇 cm일까요?

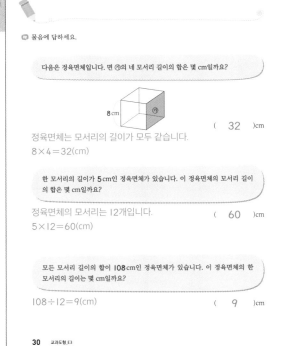
(32)cm

정육면체는 모서리의 길이가 모두 같습니다.
8×4=32(cm)

> 한 모서리의 길이가 5cm인 정육면체가 있습니다. 이 정육면체의 모서리 길이의 합은 몇 cm일까요?

정육면체의 모서리는 12개입니다.   (60)cm
5×12=60(cm)

> 모든 모서리 길이의 합이 108cm인 정육면체가 있습니다. 이 정육면체의 한 모서리의 길이는 몇 cm일까요?

108÷12=9(cm)   (9)cm

30   교과도형_E3

[면을 읽는 방법]

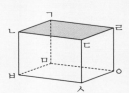

도형을 읽을 때는 일반적으로 시계 반대 방향으로 읽습니다. 위의 직육면체에서 색칠한 면을 읽을 때는 대부분 '면 ㄱㄴㄷㄹ'이라고 읽습니다. '면 ㄴㄷㄹㄱ', '면 ㄷㄹㄱㄴ', '면 ㄹㄱㄴㄷ'이라고 읽을 수도 있습니다.
그러나 '면 ㄱㄹㄷㄴ'과 같이 시계 방향으로 읽어도 수학적으로 틀린 것은 아닙니다.
면을 읽을 때는 한 꼭짓점에서 시계 반대 방향으로 모서리를 따라 순서대로 기호를 읽으면 되고, 시계 방향으로 순서대로 읽는 것도 가능합니다.

정답

3주차 정육면체의 전개도

51일 평행한 면과 수직인 면

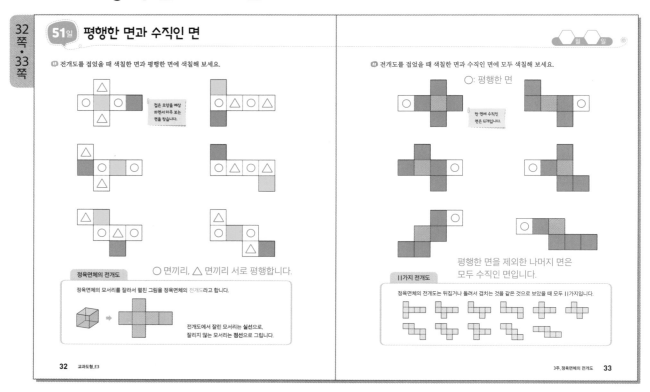

○ 면끼리, △ 면끼리 서로 평행합니다.

정육면체의 전개도

정육면체의 모서리를 잘라서 펼친 그림을 정육면체의 전개도라고 합니다.

전개도에서 잘린 모서리는 실선으로, 잘리지 않는 모서리는 점선으로 그립니다.

전개도를 접었을 때 색칠한 면과 수직인 면에 모두 색칠해 보세요.

○: 평행한 면

한 면에 수직인 면은 네개입니다.

평행한 면을 제외한 나머지 면은 모두 수직인 면입니다.

11가지 전개도

정육면체의 전개도는 뒤집거나 돌려서 겹치는 것을 같은 것으로 보았을 때 모두 11가지입니다.

52일 겹치는 선분과 만나는 점

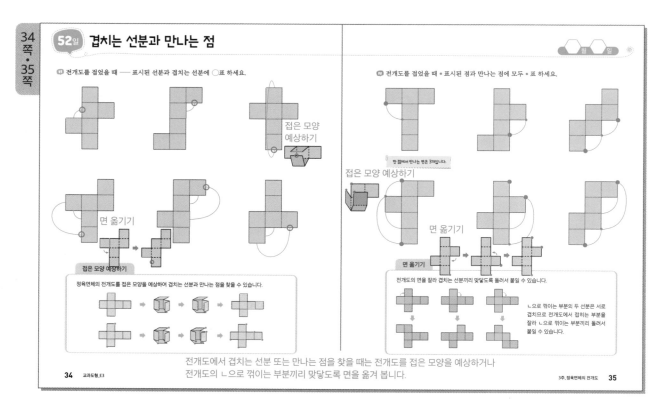

전개도를 접었을 때 ── 표시된 선분과 겹치는 선분에 ○표 하세요.

접은 모양 예상하기

면 옮기기

접은 모양 예상하기

정육면체의 전개도를 접은 모양을 예상하여 겹치는 선분과 만나는 점을 찾을 수 있습니다.

전개도를 접었을 때 ● 표시된 점과 만나는 점에 모두 ● 표 하세요.

한 점에서 만나는 면은 3개입니다.

접은 모양 예상하기

면 옮기기

면 옮기기

전개도의 면을 잘라 겹치는 선분끼리 맞닿도록 돌려서 붙일 수 있습니다.

ㄴ으로 꺾이는 부분의 두 선분은 서로 겹치므로 전개도에서 접히는 부분을 잘라 ㄴ으로 꺾이는 부분끼리 돌려서 붙일 수 있습니다.

전개도에서 겹치는 선분 또는 만나는 점을 찾을 때는 전개도를 접은 모양을 예상하거나 전개도의 ㄴ으로 꺾이는 부분끼리 맞닿도록 면을 옮겨 봅니다.

53일 전개도 관찰하기

⓭ 전개도를 접어서 정육면체를 만들었습니다. 물음에 답하세요.

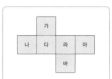

주어진 면과 평행한 면을 찾아 각각 써 보세요.

면 가-(면 바)   면 나-(면 라)   면 다-(면 마)

주어진 면과 수직인 면을 모두 찾아 각각 써 보세요.

면 라와 수직인 면 (면 가),(면 다),(면 마),(면 바)

면 마와 수직인 면 (면 가),(면 나),(면 라),(면 바)

⓮ 전개도를 접어서 정육면체를 만들었습니다. 물음에 답하세요.

주어진 선분과 겹치는 선분을 찾아 각각 써 보세요.
                  또는 선분 ㅌㅍ   또는 선분 ㄹㄷ

선분 ㅎㅍ-(선분 ㅍㅌ)   선분 ㅂㅅ-(선분 ㄷㄹ)

선분 ㄴㄷ-(선분 ㅊㅈ)   선분 ㅌㅋ-(선분 ㄱㅎ)
                  또는 선분 ㅈㅊ   또는 선분 ㅎㄱ

주어진 점과 만나는 점을 찾아 각각 써 보세요.

점 ㅎ-(점 ㅌ)   점 ㄴ-(점 ㅊ)

점 ㅅ-(점 ㅈ),(점 ㄷ)

54일 전개도 완성하기

⓭ 정육면체의 전개도에서 빠진 안쪽 부분을 점선으로 그려 보세요.

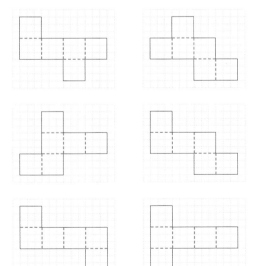

⓮ 정육면체의 전개도에서 빠진 부분을 그려 보세요.

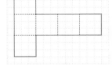
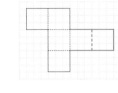
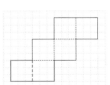
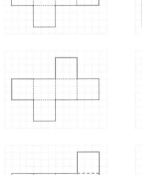

정답   **9**

정답

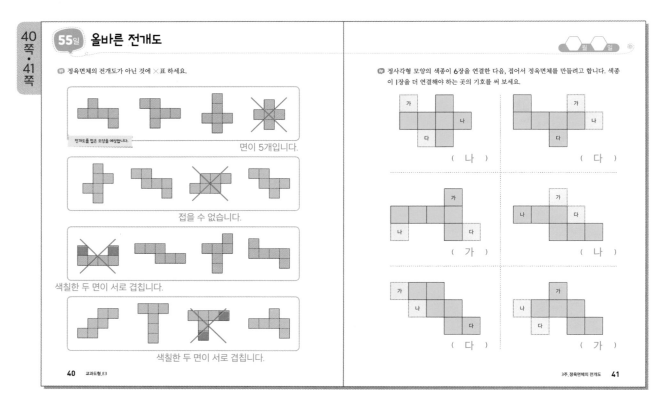

55일 올바른 전개도

⓫ 정육면체의 전개도가 아닌 것에 ×표 하세요.

면이 5개입니다.

접을 수 없습니다.

색칠한 두 면이 서로 겹칩니다.

색칠한 두 면이 서로 겹칩니다.

⓬ 정사각형 모양의 색종이 6장을 연결한 다음, 접어서 정육면체를 만들려고 합니다. 색종이 1장을 더 연결해야 하는 곳의 기호를 써 보세요.

(나)   (다)

(가)   (나)

(다)   (가)

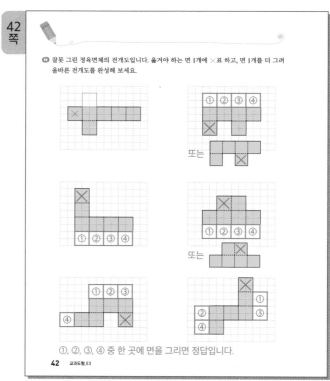

⓭ 잘못 그린 정육면체의 전개도입니다. 옮겨야 하는 면 1개에 ×표 하고, 면 1개를 더 그려 올바른 전개도를 완성해 보세요.

또는

또는

①, ②, ③, ④ 중 한 곳에 면을 그리면 정답입니다.

40 교과도형_E3

3주_정육면체의 전개도 41

42 교과도형_E3

10 교과도형_E3

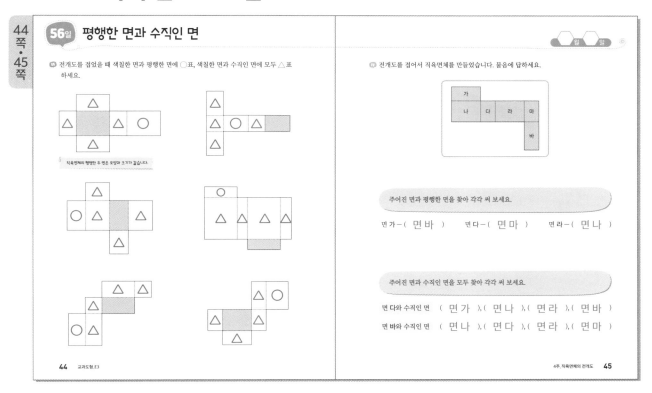

56일 평행한 면과 수직인 면

전개도를 접었을 때 색칠한 면과 평행한 면에 ○표, 색칠한 면과 수직인 면에 모두 △표 하세요.

직육면체의 평행한 두 면은 모양과 크기가 같습니다.

전개도를 접어서 직육면체를 만들었습니다. 물음에 답하세요.

가				
나	다	라	마	
				바

주어진 면과 평행한 면을 찾아 각각 써 보세요.

면 가-(면 바)　　면 다-(면 마)　　면 라-(면 나)

주어진 면과 수직인 면을 모두 찾아 각각 써 보세요.

면 다와 수직인 면 (면 가),(면 나),(면 라),(면 바)

면 바와 수직인 면 (면 나),(면 다),(면 라),(면 마)

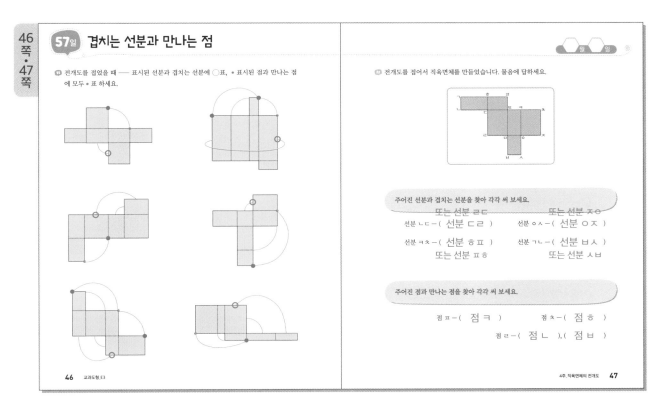

57일 겹치는 선분과 만나는 점

전개도를 접었을 때 ── 표시된 선분과 겹치는 선분에 ○표, ● 표시된 점과 만나는 점에 모두 ● 표 하세요.

전개도를 접어서 직육면체를 만들었습니다. 물음에 답하세요.

주어진 선분과 겹치는 선분을 찾아 각각 써 보세요.

선분 ㄴㄷ-(선분 ㄷㄹ)　　선분 ㅇㅅ-(선분 ㅇㅈ)
　　또는 선분 ㄹㄷ　　　　　　또는 선분 ㅈㅇ

선분 ㅋㅊ-(선분 ㅎㅍ)　　선분 ㄱㄴ-(선분 ㅂㅅ)
　　또는 선분 ㅍㅎ　　　　　　또는 선분 ㅅㅂ

주어진 점과 만나는 점을 찾아 각각 써 보세요.

점 ㅍ-(점 ㅋ)　　점 ㅊ-(점 ㅎ)

점 ㄹ-(점 ㄴ),(점 ㅂ)

58일 직육면체 펼치기

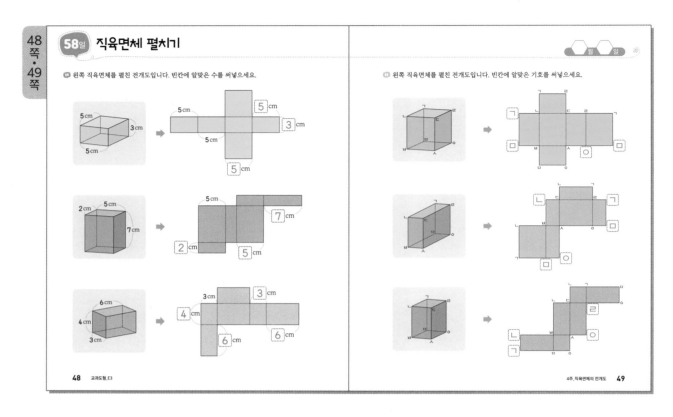

원쪽 직육면체를 펼친 전개도입니다. 빈칸에 알맞은 수를 써넣으세요.

원쪽 직육면체를 펼친 전개도입니다. 빈칸에 알맞은 기호를 써넣으세요.

59일 전개도 완성하기

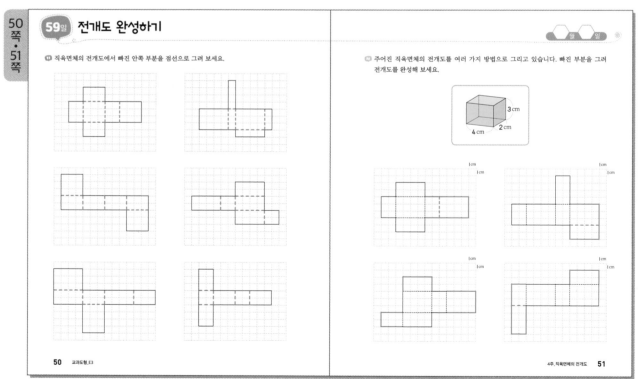

직육면체의 전개도에서 빠진 안쪽 부분을 점선으로 그려 보세요.

주어진 직육면체의 전개도를 여러 가지 방법으로 그리고 있습니다. 빠진 부분을 그려 전개도를 완성해 보세요.

60일 올바른 전개도

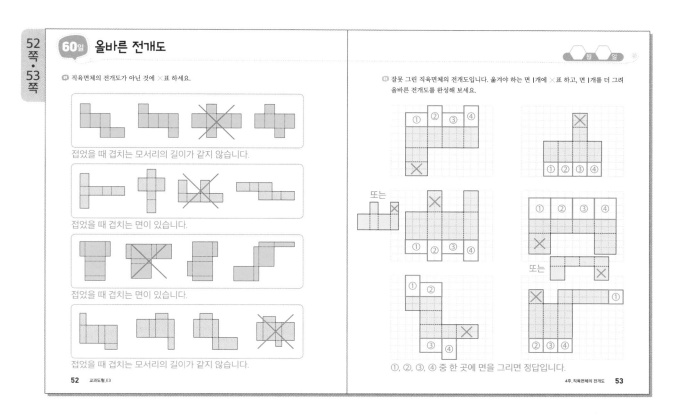

직육면체의 전개도가 아닌 것에 ✕표 하세요.

접었을 때 겹치는 모서리의 길이가 같지 않습니다.

접었을 때 겹치는 면이 있습니다.

접었을 때 겹치는 면이 있습니다.

접었을 때 겹치는 모서리의 길이가 같지 않습니다.

잘못 그린 직육면체의 전개도입니다. 옮겨야 하는 면 1개에 ✕표 하고, 면 1개를 더 그려 올바른 전개도를 완성해 보세요.

또는

또는

①, ②, ③, ④ 중 한 곳에 면을 그리면 정답입니다.

직육면체의 전개도를 1가지씩 그려 보세요.

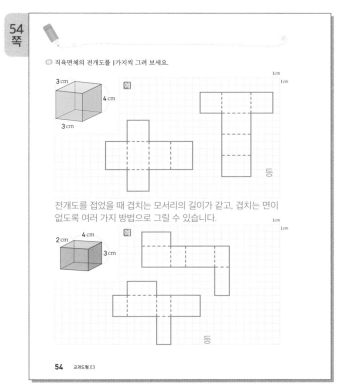

전개도를 접었을 때 겹치는 모서리의 길이가 같고, 겹치는 면이 없도록 여러 가지 방법으로 그릴 수 있습니다.

도형 플러스+ **전개도의 무늬**

PLUS 1 주사위의 전개도

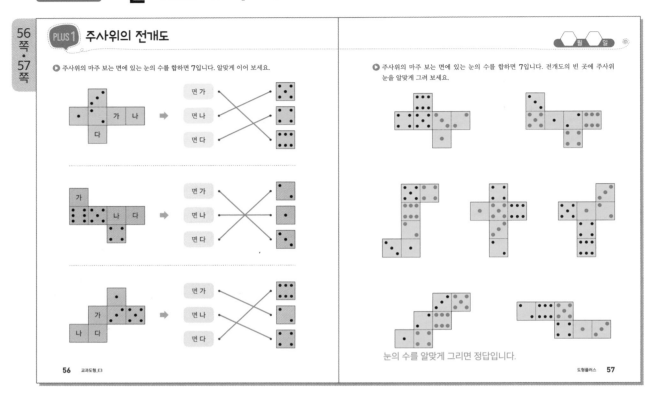

▶ 주사위의 마주 보는 면에 있는 눈의 수를 합하면 7입니다. 알맞게 이어 보세요.

▶ 주사위의 마주 보는 면에 있는 눈의 수를 합하면 7입니다. 전개도의 빈 곳에 주사위 눈을 알맞게 그려 보세요.

눈의 수를 알맞게 그리면 정답입니다.

PLUS 2 정육면체의 무늬

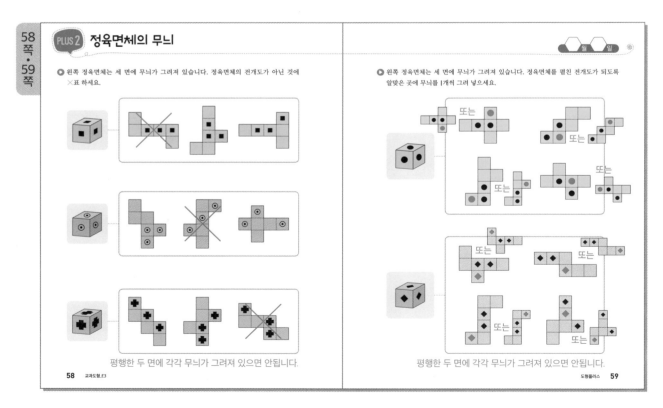

▶ 왼쪽 정육면체는 세 면에 무늬가 그려져 있습니다. 정육면체의 전개도가 아닌 것에 ✕표 하세요.

▶ 왼쪽 정육면체는 세 면에 무늬가 그려져 있습니다. 정육면체를 펼친 전개도가 되도록 알맞은 곳에 무늬를 1개씩 그려 넣으세요.

또는

평행한 두 면에 각각 무늬가 그려져 있으면 안됩니다.

평행한 두 면에 각각 무늬가 그려져 있으면 안됩니다.

PLUS 3 **직육면체의 무늬**

▶ 전개도의 네 면에 선을 그었습니다. 전개도를 접었을 때 알맞은 직육면체를 찾아 ◯ 표 하세요.

▶ 직육면체의 네 면에 선을 그었습니다. 직육면체를 펼친 전개도에 알맞게 선을 그어 보세요.

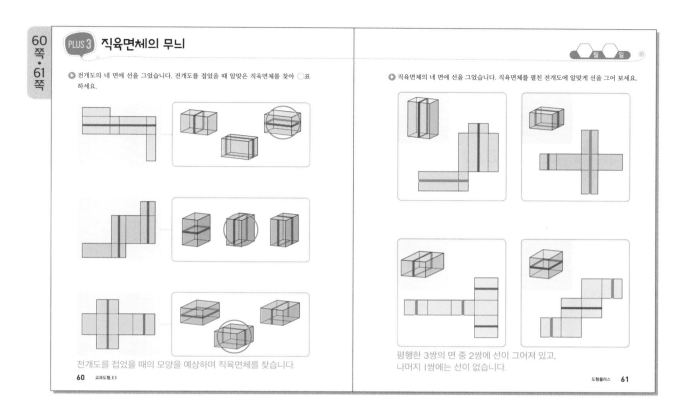

전개도를 접었을 때의 모양을 예상하며 직육면체를 찾습니다.

평행한 3쌍의 면 중 2쌍에 선이 그어져 있고,
나머지 1쌍에는 선이 없습니다.

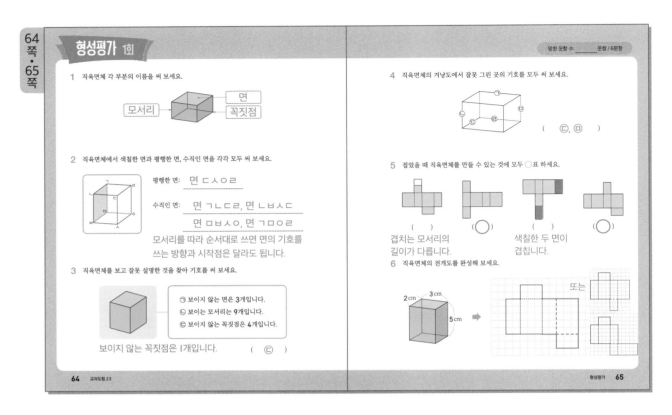

형성평가 1회

맞힌 문항 수: ____ 문항 / 6문항

1 직육면체 각 부분의 이름을 써 보세요.

모서리 ← | 면
| 꼭짓점

2 직육면체에서 색칠한 면과 평행한 면, 수직인 면을 각각 모두 써 보세요.

평행한 면: 면 ㄷㅅㅇㄹ

수직인 면: 면 ㄱㄴㄷㄹ, 면 ㄴㅂㅅㄷ
면 ㅁㅂㅅㅇ, 면 ㄱㅁㅇㄹ

모서리를 따라 순서대로 쓰면 면의 기호를
쓰는 방향과 시작점은 달라도 됩니다.

3 직육면체를 보고 잘못 설명한 것을 찾아 기호를 써 보세요.

㉠ 보이지 않는 면은 3개입니다.
㉡ 보이는 모서리는 9개입니다.
㉢ 보이지 않는 꼭짓점은 4개입니다.

보이지 않는 꼭짓점은 1개입니다. (㉢)

4 직육면체의 겨냥도에서 잘못 그린 곳의 기호를 모두 써 보세요.

(㉢, ㉤)

5 접었을 때 직육면체를 만들 수 있는 것에 모두 ○표 하세요.

( ) (○) ( ) (○)

겹치는 모서리의   색칠한 두 면이
길이가 다릅니다.   겹칩니다.

6 직육면체의 전개도를 완성해 보세요.

2cm 3cm 5cm ⇒

또는

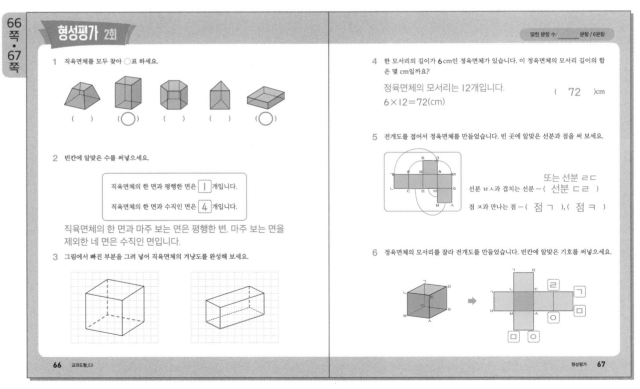

형성평가 2회

맞힌 문항 수: ____ 문항 / 6문항

1 직육면체를 모두 찾아 ○표 하세요.

( ) (○) ( ) ( ) (○)

2 빈칸에 알맞은 수를 써넣으세요.

직육면체의 한 면과 평행한 면은 1 개입니다.
직육면체의 한 면과 수직인 면은 4 개입니다.

직육면체의 한 면과 마주 보는 면은 평행한 변, 마주 보는 면을
제외한 네 면은 수직인 면입니다.

3 그림에서 빠진 부분을 그려 넣어 직육면체의 겨냥도를 완성해 보세요.

4 한 모서리의 길이가 6cm인 정육면체가 있습니다. 이 정육면체의 모서리 길이의 합은 몇 cm일까요?

정육면체의 모서리는 12개입니다.
6×12=72(cm)

(72)cm

5 전개도를 접어서 정육면체를 만들었습니다. 빈 곳에 알맞은 선분과 점을 써 보세요.

또는 선분 ㄹㄷ
선분 ㅂㅅ과 겹치는 선분 – (선분 ㄷㄹ)

점 ㅈ과 만나는 점 – (점 ㄱ), (점 ㅋ)

6 정육면체의 모서리를 잘라 전개도를 만들었습니다. 빈칸에 알맞은 기호를 써넣으세요.

"한 권이면 충분합니다."

감각
sense

도형 학습의 바탕이 되는
공간감각을 길러줍니다.

도형을 다양한 문장과 그림,
수식으로 표현합니다.

표현
expression

측정
measurement

측정을 더하여
도형 학습을 완성합니다.